〈意識〉とは、何か

――無ではなく、何かがあるのはなぜか

鈴木 稜紀

〈意識〉とは、何か

――無ではなく、何かがある、のはなぜか

地球上の物質がある微妙な組合せと状態に達したとき、生命という、ふしぎなものが現われた。その生命の流れの中からやがて、「意識」が生まれ、それが進化するうちに、ついに人間において「眺める自己」と「眺められる自己」とに分化した。

（神谷美恵子『人間をみつめて』）

意識は、私たち人間が持つ知覚や思考、感覚の能力とは別の余分な成分なのか、それとも、知覚し、思考し、感覚できる生物であることと不可分の内在的な成分なのだろうか。これはじつに中心的な問いであり、ほかの問いがすべてそれにかかわっているような問いである。

（スーザン・ブラックモア『意識』）

〈序〉

本稿のテーマは、〈意識〉である。哲学の根本。人間を人間たらしめる根本。〈意識〉。ヨーロッパ中世における〈意識〉は、〈良心〉と同義であったといわれる。その〈良心〉から、〈意識〉をひっぺがしたのが、デカルトであるといわれる。だが、そのデカルトが、〈良心〉からひっぺがした〈意識〉は、〈思考〉であったといわれる。そして、その後、〈意識〉の研究は、そこで止まってしまったように思われる。マルクスは「意識とは、意識された存在以外の何ものでもない」といい、フッサールは「意識とは、何ものかについての意識である」という。だが、これでは、ただの同語反復、論点先取りにすぎず、〈意識〉について、何かを語ったことにはならない。

そこで、われわれは、再びデカルトに立ち戻り、かれの〈思考〉から、再度〈意識〉をひっぺがさなければならない。その試みが、本稿である。〈意識〉とは、何か。〈意識〉はいかにして、ヒトに成立したか。

目次

本論

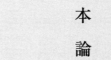

科学・哲学
——〈意識〉

科学とは
もの
が
ある
ということを
前提に
なされる
学問
である

即ち
もの
の
ありよう
を
追究する
学問
である

だが
それを
どこまでも
推し進めて
いくと
しまいには
では
なぜ
こんなものが
ある
のか
ということ
になる

そして
そもそも
ある
とは
いったい
何なのか
ということ
になる

ここからは
哲学
である

だが
この

あるも
その
主体である
自己も
動物
にだって
あるので
ある

ただ
それが
動物に
おいては
即自的
（無自覚的）
なだけ
である

だが
ヒトの
それは
対自的
（自覚的）
である

では
なぜ
ヒトの
それは
対自的
なのか

ここからが
〈意識〉の学
である

〈意識〉とは
何か
それは
いかにして
ヒトに
成立したか

言語
——〈意識〉

生きとし
生けるもの
の
基底をなす
ものは
〈ある（意味）〉
である

あの
ユダヤの神
ヤーヴェが
〝わたしは
ある
である〟
といった
あの
〈ある〉
である

また
釈迦が
〝すべての
苦の
根源は
ある
である〟
といい
〝ある
の
妄想を
断滅せよ〟
といった
あの
〈ある〉
である

その
〈ある〉
の
〈ありよう〉
が
ヒト
において
共同的に
音声化され
通交する
ように
なったのが

〈言語〉
である

そして
それにより
もの（外界）
が
共同的に
措定され
（客体化され）
それが
また
観念として
自己還帰し
その結果
ものが
また
他者が
そして
自己自身が
自らに
客体化され
即ち
対自化される
ことに
なった
のである

これが
ヒトの
〈言語〉の
成立過程
であり
また
〈意識〉の
成立過程
でもある

自己
——〈意識〉

〈自己〉
と
〈意識〉
は
別物
である

生きとし
生けるもの
の
基底をなす
〈ある〉

が
〈意識〉
により
主体として
自らに
対自化
されたのが
〈自己〉
である※注

〈意識〉は
個々の

個体性
とは
かかわりなく
その
個々の
個体に
共通に
備わった
(自らを
はじめ)
すべての
ものを

自らに
対自化する
ヒトの
脳の
はたらき
である

即ち
〈意識〉は
一切の
個体性
自己性

即ち
一切の
内容
とは
かかわりなく
それらの
一切を
自らに
対自化する
ヒトの
脳の
はたらき
である

※注
この
〈自己〉は
また
自我
精神
心
魂
なども
表現される

〈わたし〉

生きとし
生けるもの
の
基底をなす
〈ある〉
が
〈意識〉
により
主体として
自らに
対自化
されたのが
〈わたし〉

である

ゆえに
〈わたし〉
にとっての
もの
は
〈ある〉
にとっての
ある
である

即ち

〈わたし〉
にとっての
もの
は
常に
〈わたし〉が
前提されて
いる

動物に
おける
〈ある〉
は

自らに
対自化されて
いないため
そこには
〈わたし〉
は
存在しない

即ち
即自的な
〈ある〉
即自的な
〈わたし〉

まとめ

〈意識〉は
すべての
ものを
自らに
対自化する
ヒトの
脳の
はたらき

〈言語〉は
発生論的
には
生きとし

生けるもの
の
基底をなす
〈ある（意味〉
の
〈ありよう〉
が
（ヒト
により）
共同的に
音声化
されたもの

〈自己〉は
生きとし
生けるもの
の
基底をなする
〈ある〉
が
〈意識〉
により
主体として
自らに
対自化
されたもの

〈言語〉が
われわれの
外界・内界
の
共同的な
内在化
時間化
であれば
〈文字〉は
その
内在化
時間化

された　〈文字〉
われわれの
外界・内界
の
再度の
外在化、
空間化、

ポイントは
〈ある〉、
〈意味〉
〈共同性（他者）〉
〈言語〉
〈意識〉
〈自己〉
及び

内論

精神

〈言語〉を
介しての
〈意識〉の
成立
により
ヒトは
それまでの
動物的
（即自的）
一私人
から
この
共同的な

言語世界の
（対自的）
一公人
即ち
ヒト
となる

また
これが
ヒトの
精神（自我
・心・魂）の
内的構造

が
観念としての
〈他者一般〉
即ち
〈公〉
と
観念としての
〈個〉
即ち
〈私〉
よりなる
ゆえん
である

〈言語〉は
発生論的
には
三者以上間
でしか
成立しない
それは
二者間
では
〈意味〉
が

成立しない
からである

それゆえ
〈意識〉も
三者以上間
でしか
成立しなかった
ことに
なる
そして
観念としての
〈公〉も

即ち
〈言語〉の

共同の
〈意味〉
は
共同の
規範
でもあり
その
形成過程
が
ヒトの
観念としての
〈公（他者一般）〉
の
形成過程
でもある
のである

のである

そして
ヒトは
この
観念としての
〈公（他者一般）〉
を
獲得する
ことに
よって
観念としての
〈私（個）〉
を
獲得し
ヒト
となる

共同性

〈言語〉を
介しての
〈意識〉の
成立

その
〈意識〉の
対自化の
はたらき
による
〈自己〉の
成立

そして
その
個々の
精神
における
観念としての
〈公ー私〉の
構造

ヒトは
こうした
共同的に
獲得された

自ら
独自の
ヒト
としての
形質を
長い
歳月を
かけて
（即ち
系統発生
から
個体発生
へと）

繰り返し
うけつぎ
ながら
ヒト
となり
今日に
至っている
のである

そして
今日では
生誕した
われわれの

幼児は
自動的に
この
世界に
組み込ま
れること
になる

即ち
胸に
抱かれた
母親との
二者間、
には
基本的に
〈言語〉は

必要ないが
第三者の
登場
によって
言語世界
へ
組み込ま
れていく

そして
この時
幼児は
観念としての
〈公（他者一般）〉
を
獲得する

ことに
よって
観念としての
〈私（個）〉
を
獲得し
ヒト
となる

これが
また
幼児の
〈意識〉の
成立
でもある

孤立

因に
われわれの
幼児が
生後
まもなく
何かの
事情で
われわれ
から
ひき離され
他の
動物に
育てられた
とする

この
場合
そこに
おける
かれの
世界は
われわれの
幼児が
あたりの
ものを
手当り
しだいに
口の中に
入れる
ような
世界の
まま
であろう

即ち
そこには
かたちも
色も
目方も
ない
即ち
もの
など
存在しない
のである
（無論
〈自己〉も）
〈言語〉や
〈意識〉が
機能しない
からである

思考

〈言語〉は
発生的
には
三者以上間、
でしか
成立しないが
一度
成立して
しまえば
二者間、
でも
一者間、（?）
でも
機能する
ことになる

そして
ヒトの
精神
（自我・心
・魂）の
内的構造
である
観念としての
〈公―私〉の
対の
構造は
ヒトの
思考の
「ハード」
となり
個々の
〈言語〉
（観念）は
その
「ソフト」
となる

即ち
ヒトは
この
観念としての
〈公―私〉の
構造を
通して
思考する
のである

観念としての
〈公〉に
対する
〈私〉の

関係
として
思考する
のである

というよりも
この
関係
そのものが
思考
である

そして
この
観念としての
〈公〉は
その
それ〴〵の
個体に
さま〴〵な
姿で
現われる
ことになる

それは
必ずしも
国家や
社会の
〈公〉
ばかりでは
ない

即ち
勤め先の
会社の
〈公〉
もあれば
その
帰りに
立ち寄る
のみ屋の
〈公〉
もある

また
居住する
街の
町内会の
〈公〉
もあれば
所属する
草野球
チームの
〈公〉
もある

そして
そこでの
個々の
〈私〉は
その
それ〴〵の
〈公〉との
関係で

思考する
のである

また
この
〈公〉は
その
時代の
学術的な
「定説」
であったり
支配的な
「思想」
であったり
もする
また
その
地方や
地域の
「伝統」や
「文化」
であったり
もする

そして
また
時には
所属する
宗派や
党派の
「教義」や
「綱領」
であったり
もする

その
場合も
〈私〉は
それ〴〵の
〈公〉との
関係で
思考する
のである

そして
その
〈公〉が
個々の
〈私〉に
著しく
矛盾を
きたし
（共同的に）
葛藤のすえ
それが
克服されれば
新しい
〈公〉が
創出される
ことに
なる

というのも

この
〈公〉は
一般に
時代の
（先人からの）
「すりこみ」
にすぎず
決して
不変のもの
ではない
からである

とはいえ
この
観念としての
〈公―私〉の
思考の
構造が
変わる
ことはない

この
構造は
ヒトの
ヒトとしての
即ち
精神的存在
としての
先験的な
構造
だからである

（因に
天才は
決して
常識外れの
変人
ではなく
偉大な
常識人
であり
新たな
常識の
創造者
である）

個体性

それでは
その
思考する
個体は
個体として
どのように
共同体内
（現実社会）
に
存在する
のだろうか
個体として
どのように
ふるまい
どのように
他者と
接している
のだろうか

それを
きめるのは
その
個体自身
の
観念としての
〈公—私〉の
関係《バランス》
である

それが
その
個体自身
の
精神
（自我・心
・魂）の
かたちを
きめること
になる

（それには
その
個体自身
の
家庭環境
や
生活環境
が
大きく
かかわる
ことになる）

因に
その
個体の
観念としての
〈公〉が
強ければ
〈私〉が
抑えられ
〈公〉が
弱ければ
〈私〉が
肥大する

〈私〉が
肥大されれば

まわりの
他者と
さま〴〵な
トラブルを
ひき起こす

そして
それが
その
個体の
精神に
さま〴〵な
ゆがみを
もたらす

即ち

わがまま
ひとりよがり
ウソつき
変人
一匹狼
キザ
幼児性
など〳〵
である

そして
それが
また
さま〴〵な
精神の
障害

へと
転ずる
可能性
ともなる

こうした
現象は
一つには
観念としての
〈公〉の
弱い
個体には
普段の
自己対話が
成立し
にくく

思考が
深まらない
きらいが
あること
による

というのも
こうした
個体には
（〈私〉が
強いため）
〈公〉的な
情報が
入りにくく
（ひらたく
いえば
他者《ひと》の話
を
あまり
きかない
ということ）
その時
その場の
空気を
うまく
よめない
からである

それで
他者の
なかに
おける
自己像が
うまく
つかめず
さま〴〵な
ソゴを
きたして
しまう
のである

即ち
自己像は
自らが
つくるもの
ではなく
他者が
所有する
もの
であることが
理解できない
のである

知能と
知性

ここで
個体が
現わす
二つの
基本的な
性質
（能力）を
明らかに
しておく
必要が
ある

その
一つは
その
個体が
もって
生まれた
（生得的な）
能力
であり
もう
一つは
その

個体が
生後
他者との
共同性
において
即ち
観念としての
〈公―私〉の
関係《バランス》
において
獲得した
後天的な

能力
である
即ち
前者は
読み書き
計算
記憶
などの
能力
であり
後者は

判断
洞察
論理構成
などの
能力
である

いってみれば
前者は
知能
であり
後者は
知性
である

ゆえに
後者が
その
個体の
精神の
かたち
たたずまい
即ち
人格を
表わす
ことにも
なる

そのため
知能は
すぐれて
いても
知性
（人格）に
問題が
ある場合も
あれば
その
逆の
場合も
あること
にもなる

即ち
数学は
できても
ものごとを
ひとつも
論理的に
考え
られない
個体も
あること
にもなる
のである

付則

知と情

知
より
情

知は
情の
あとづけ

情の
かたちが
知の
かたちを
きめる

即ち
情が
こまやか
なら
知も
こまやか

情が
雑なら
知も
雑

情が
公平
なら
知も
公平

情が
ゆがめば
知も
ゆがむ

また
情が
まえ向き
なら
知も
まえ向き

情が
うしろ向き
なら
知も
うしろ向き

知は
自らでは
はたらかず
情に
うながされて
はたらく

情はいつも
自まえ
だが

知は
よそからも
借りて
これる

その
情の
かたちは
幼年期に
つくられる

それが
未来の
知の
かたち
となる

ゆえに
知を
見れば
情が
見え
幼年期が
見える

では
情とは
何か
知とは
何か

情とは

その
個体の
観念としての
〈公―私〉の
関係《バランス》の
現実態

知とは
その
現実態
としての
情の
観念化
理念化

〈因に

ダーウィンは
自然選択
の
概念を
得てから
信仰心を
失った
といっているが
そうでは
あるまい

幼年期
からの
信仰への
懐疑が
のちに
自然選択
の
概念を
もたらした
のであろう）

外論

はじめに

はじめに
「暗黒《やみ》」が
あった
そこで
神が
〝光よ、あれ！〟
と
いわれると
光が
できた――
と
いわれても

では
その
「暗黒《やみ》」や
「神」は
どのように
して
できたのか
と
問いたくなる

それは
はじめに
「ビッグバン」が
あった
というのと
同じである

だが
そう
いわれると
では
その
「ビッグバン」の
まえには
何が
あった
と
問いたくなる

すると
「ビッグバン」は
さすがに
「科学」
であるから
答えて
いう

即ち
その

まえには
何が
あった
といわれても
そうした
まえとか
うしろとかの
時間や
空間は
「ビッグバン」
から
はじまった
のだから
それを
それ
以前に
適用するのは
無意味
である
と

だが
はたして
そうで
あろうか
そこに
適用される
のは
ほんとうに
時間や
空間
だろうか

そうではなく
そこに
適用される
のは
〈ある〉
ではなかろうか
時間が
ある
空間が
ある
何が
あった
の
〈ある〉
である

もし
そうで
あるならば
その
〈ある〉も
「ビッグバン」
以前に
遡らせては
いけない
のだろうか
いや
そも〳〵
その
〈ある〉も

「ビッグバン」
から
はじまった
のだろうか

実は
そうでは
ないのである
この
〈ある〉は
それより
ずっと
あとの
はるかに
あとの
即ち
この
地球に
生命が
誕生した
ときに
はじまった
のである

そこに
おける
生きとし
生けるもの
の
基底をなす
〈ある（意味）〉
として
はじまった
のである

そして
その
〈ある（意味）〉
が
われわれ
ヒト
において
〈言語〉
となり
〈意識〉
となって
（それ
自身が）
われわれ
自らに
対自化
されること
になった
のである

そして
それに
よって
われわれの
存在が
この
〈ある（意味）〉
によって
成り立って

いることを
知ることに
なった
のである

即ち
われわれ
にとって
すべては
この
〈ある（意味）〉
の
産物
なのである

「暗黒《やみ》」も
「神」も
「ビッグバン」も
時間も
空間も
すべて
この
〈ある（意味）〉
の
〈ありよう〉
なのである

意味論

意味論
には
二つある

意味
そのものを
問う
意味論
と
言語
意味論
である

前者に
ついて
いえば
意味は
生きとし
生けるもの
の
基底をなす
〈ある〉
であるから
問いは
ここで
終了する

即ち
これが
答え
である

それに
対し
後者は
言語の
意味は
どのように
成立して
いるか
である

その
答えは
言語学者の
数だけ
あろうが
要は
言語が
意味を
つくる
のではなく
意味

（〈ある〉）が
言語を
つくる
ということ
である

存在

かつて
宇宙は
一つ、
であった
ただ
存在する
だけで
あった

それらの
いかなる
存在物
にも
名など
なく
ヒトも
その
一部に
すぎなかった

だが
その
ヒトの
脳に
〈言語〉が
成立し
〈意識〉が
宿るに
つれて
宇宙は
二つ、
に
分かれる
ことに
なった

ただ
存在する
だけのもの
と
それを
見るもの
とに

だが
ただ
存在する
だけの
ものは
なぜ
ただ
存在する

だけ
なのか

それらは
なぜ
存在する
ように
なったのか

そして
それらの
なかから
なぜ
それらを
見る、
ものが
現われた
のか

それは
いまだ
謎である

世界が
成立する

サルが
ヒトに
なる
過程で
人類に
〈意識〉が
成立し
その
結果
人類には
自らを
はじめ
すべての
ものが
対自化
されること
になった

このことは
自らの
なかに
「人類」が
成立し
「世界」が
成立する
ことでも
ある

それまで
世界は
どこにも
成立せず
だれにも
見られる
ことなく
存在していた

のである

デカルト

ヨーロッパ
における
〈意識〉の
概念は
中世までは
「良心」と
同義
であった
といわれる

その
「良心」
から

〈意識〉
を
ひっぺがした
のが
デカルト
である
といわれる

だが
その
デカルトが
「良心」から
ひっぺがした

〈意識〉は
「思考」を
意味する
とされる

そして
その後
哲学は
その
レベルに
とどまり
今日に
至っている

ように
思われる

実際
今日の
大方の
心理学・
哲学辞典
の
〈意識〉の
定義は
「感覚・感情
・意志・思考

・記憶などの
総体」
というのが
一般的
である

そこで
今一度
問題を
先へ
進める
ためには
ここで
再度
デカルトの
「思考」から
〈意識〉を
ひっぺがす
必要がある

「思考」
のみならず
「感覚」や
「感情」や
「意志」や
その他
一切から
〈意識〉を
ひっぺがす
必要がある

というのも
それら
一切は
多かれ
少なかれ
動物にも
ある
からである

ただ
それが
かれらに
おいては
即自的
なだけ
である

その
即自性
を
自らに
対自化
したのが
ヒトの
脳の
〈意識〉
という
はたらき
なのである

即ち
〈意識〉
とは

姿である

すべての
対象《もの》を
自らに
対自化する
ヒトの
脳の
はたらき
なのである

これが
デカルトの
「思考」
から
ひっぺがした
新たな
〈意識〉の

情報処理能力㈠

ヒト
以外の
動物にも
ヒト
同様
ものが
見えたり
音が
聞えたり
する

その
動物を
ヒトが
食用にする
秘かな
口実に
〝かれらには
自我も
思考も
ないから〟
というのが
あるだろう

自我
とは
自分が
生きている
ことの
自覚
である

そのこと
から
ものが
見え
音が
聞える
ことと
主体の
自覚
とは
直接・
結びつかない
ことになる

即ち
情報処理

能力と
主体の
自覚とは
直接
結びつかない
ことになる

ヒトの
ヒトたる
ゆえんは
その
情報処理
能力の
基底に
主体の
自覚が
あること
である

そのこと
と
〈意識〉の
存在は
深く
かかわる
のだが
そのことの
歴史的な
（発生論的な）
解明を
試みる
ものは
だれも
いない

即ち
〈意識〉の
系統発生
から
個体発生
への
発生論的
解明

脳神経科学
のように
〈意識〉の
存在を
一個の
脳
のなかに
物質的に
求めても
無駄である

醒める

〈意識〉
とは
眠りから
醒める
とともに
現われるもの
といわれるが
〈意識〉のない
（と思われる）
動物でも
眠りからは
醒める
ものである

それでは
動物は
眠りから
〈意識〉へ
ではなく
何へ
醒める
のだろうか

動物
だって
醒めれば
ものは
見えるし
音は
聞こえる
即ち
ヒトは
〈意識〉へ
醒めるが
動物は
感覚へ
醒める
のである

このように
生命は
〈意識〉なし
でも
生きられる
し
現に
多くの
生命が
それなしに
生きている

では

なぜ
生命に
必要でもない
〈意識〉が
ヒト
にだけ
成立した
のか
それに
ついては
すでに
述べた

動物の心
ヒトの心

動物
がもつ
（であろう）
さま〴〵な
「心」
のなかで
ヒトの
それが
もっとも
成熟している
と思われる
のは

その
脳が
もつ
〈意識〉
といわれる
はたらき
のせいである

自らを
はじめ
すべての
ものを

自らに
対自化する
ヒトの
脳の
〈意識〉
という
はたらき

即ち
ヒトは
サルから
ヒトへの

移行（進化）
の
過程で
獲得した
この
はたらき
により
自らの
外界を
はじめ
内界
までをも

深化
拡大して
いった
のである

そして
それにより
ヒト
独自の
共同的な
精神世界
即ち
「文化」を
形成する
までに
なった
のである

動物にも
「心」が
あるか
という
問いには
動物にも
〈意識〉が
あるか
という
問いに
連動する

「心」が
あっても
それが
対自化
されて
いなければ
即ち
自己の
「心」
でなければ
「心」とは
いえまい

だれのもの
か
わからない
(即自的な)
「心」など
「心」とは
呼べまい
自己の
「心」
である
がゆえに
それを
自らで
高めたり
深めたり
広げたり
できる
のである

はたして

動物にも
〈意識〉は
あるのか
〈意識〉
なしで
（対自化
なしで）
「心」は
深化するのか

だが
ヒトと
動物に
本質的な
ちがいが
あるわけ
ではない
他者との
相互の
交通の
成熟度の
ちがい
があるだけ
である

ヒトの
〈言語〉
による
複雑な
相互交通
と
それを
欠いた
動物の
限られた
コミュニケーション

そこには
やはり
〈意識〉の
存在が
大きく
かかわって
くる

区別する

生きとし
生けるもの
の
基底をなす
〈ある〉
が
〈意識〉
により
主体
として
〈自らに〉
対自化
されたのが

〈自己〉
である
即ち
〈意識〉
と
〈自己〉
とは
別物
である
その
〈自己〉が

また
さま〱な
呼称で
呼びかえ
られる
ことがある
即ち
精神
自我
心
魂
など〱

そこで
これらの
ちがいを
規定し
区別する
必要が
ある
即ち
精神
とは
〈自己〉の

基本的な
（思考）構造
であり
観念としての
〈公ー私〉
の
関係《バランス》
の
かたち
である

それゆえ
これが
その
個体の
ヒト
としての
たたずまい
をつくる
ことになる

また
この
精神を
〈自己〉の
「ハード」
とすれば
心は
「ソフト」
である

心は
形式
ではなく
内容
即ち
内面
である

自我は
「ハード」の
精神
と
「ソフト」の
心
を
合わせた
個体性
即ち
〈自己〉
そのもの
である

以上の
ものが
他者
及び
社会
そして
自己自身
に対して
あるのに
対し
魂は

特殊であり
それは
一個の
存在
として
（宇宙的な）
全存在
及び
非在
に対して
あるもの
である

ロボット

アメーバーは
アメーバー
としての
一個の
〈ある（意味）〉
である

ヒトは
ヒト
としての
一個の
〈ある（意味）〉
である

だが
ロボットは
ロボット
としての
一個の
〈ある（意味）〉
ではない

〈ある（意味）〉
は
生きとし
生けるもの

の
（即ち
生命体の）
基底をなす
もの
である

ゆえに
ロボット
には
〈ある（意味）〉
起源の
統合作用も

抽象作用も
自己同一性も
志向性も
連続性も
また
さま〲な
感覚も
感情も
思考も
記憶も
そして
〈言語〉も
〈意識〉も

成立しえない

また
人工知能《ロボット》の
研究は
あくまで
知能
の
研究
である
それが
知性
にまで
至る
ことはない
知性は
（ヒトの）
脳の
共同性
にかかわる
もの
であり
〈他者〉と
関係を
もてない
ロボット
には
知性は
成立しえない

しかし
この
知性
こそが
ヒトを
ヒトと
している
もの
即ち
文化や
歴史や
芸術や
宗教や
人間性《ヒューマニズム》
などを
もたらす
もの
である
また
ヒトの
「行動」は
〈他者〉との
関係
において
即ち
観念としての
〈公―私〉の
関係
において
成立する
ことが
大方
であるから

〈他者〉の
存在しない
ロボット
には
「行動」も
「自由意志」も
存在しない

夢

夢
とは
睡眠時
における
脳の
（覚醒時に
得た）
情報処理
過程
において
（何らかの
事情で）

その
情報処理
の
一端に
視覚化
の
はたらき
が
作動し
同時に
〈意識〉化
の

はたらき
も
重なって
（即ち
対自化
の
はたらき
も
重なって）
それが
記憶
となり

覚醒時に
蘇った
ものであろう
（因に
対自化
されない
ものは
即ち
〈自己〉の
情報で
ないものは

記憶に
残らない）

即ち
ここで
起こった
のは
（脳内に
おける）
情報の
疑似
視覚化
疑似
〈意識〉化
（対自化）
疑似

記憶化
である

（因に
視覚は
外界
からの
刺激が
なくとも
映像を
つくりだせる

即ち
覚醒時
にも
恋人の

面影を
想い浮べる
ことが
できる
ように）

とはいえ
夢が
映像
（視覚）
でしか
成立しない
のは
なぜだろう
映像
でしか

記憶に
残らない
のは
なぜだろう

それは
（睡眠時
には）
視覚
にしか
〈意識〉が
誤作動
しないから
？

他の感覚

には
しばりが
かかって
いるから
？

もし
しばりが
かかって
いなければ
ひょっとして
行動に移る
可能性が
あるから
？
夢遊病

のように
（因に
マッハの
夢には
時として
臭いがある
とのこと）

痛み

生きとし
生けるもの
の
基底をなす
ものは
〈ある（意味）〉
である

その
〈ある〉
に対する
ものは
その

〈ある〉
の
外部の
ある
である

〈ある〉
に
対する
ある
である

それに
対し
〈ある〉
自身の
（内部の）
ある
もある

即ち
自らが
有する
さま〴〵な
思い
や
観念
また
自らの
身体の
全体
及び
部分
の
感覚
や
表象
（映像）
などが

それである

これも
また
〈ある〉
に
対する
ある
である

さて
そこで
ヒトの
身体の
痛み
であるが

これも
また
〈ある〉
に
対する
痛み
という
ある
である

ゆえに
その
〈自らの
基底をなす〉
〈ある〉
が

〈意識〉
により
〈自己〉
として
対自化
されて
おれば
その
痛み
は
〈自己〉の
痛み
である

だが
〈意識〉のない

〈と思われる〉
動物
のように
〈ある〉
が
〈自己〉
として
対自化
されて
おらず
即自の
まま
であれば
痛み
も
痛みの

まま
であり
だれの
痛み
でもない
ことになる

クオリア

クオリア
を
「質感」
という
だけでは
十分では
ない

正確には
「質感」
としての
「〈自己〉感」
である

対自化
された
〈ある〉
即ち
〈自己〉
にとっての

（外部の）
ある
即ち
もの
の
「質感」

としての
「〈自己〉感」
である

（因に
欧米で
ささやかれる
ホムンクルス
とは
何も
幽霊のような
存在
ではなく

対自化
された
〈ある〉
即ち
〈自己〉のこと
である）

自己疎外

「自己疎外」
などと
いうが
〈自己〉
とは
もと〱
「疎外体（態）」
である

はじめに
〈自己〉
があって
それが
「疎外」
される
のではなく
「疎外体（態）」
そのものが
〈自己〉
なのである

ゆえに
「疎外」
されない
〈自己〉
とか
「疎外」
からの
〈自己〉の
解放
などという
命題は
成立しない

そうなれば
〈自己〉の
消滅
であり
動物への
回帰
である

というのも
その
動物的
（即自的）な
自己が
〈意識〉
により
自らに
対自化
されたのが

ヒトの
〈自己〉
である

そして
その
〈自己〉の
精神の
内部構造
が
観念としての
〈公─私〉
よりなる
ことが
「疎外体（態）」
としての
ヒト
なのである

即ち
ヒトの
〈自己〉は
たえず
〈公─私〉に
分裂して
おり
それが
また
ヒトの
思考の
構造
でもある
ことが
ヒトの
「疎外体（態）」
としての
ゆえん
なのである

因に
「言語と
意識は
同い年」
という
名言を
はいた
マルクスも
この
命題を
もう少し
深めれば
「疎外」の
起源が
「労働
（分業）」
ではなく
（ヒト
における）
〈言語〉を
介しての
〈意識〉の
成立
そのものに
あることが

わかった
はずである

「労働
（分業）」
による
「疎外」現象
と
ヒトが
本来
「疎外体（態）」
であること
は
わけて
考えなければ
ならない

それを
混同する
から
「労働
（分業）」
の
止揚が
ヒトの
「疎外体（態）」
の
止揚
となる
のである

即ち

「労働
（分業）」
の
止揚
においても
また
宗教的な
（修業
などによる）
心身の
合一
においても
〈公—私〉が
統一
されることは
ない

のである
そうなれば
ヒトでは
なくなる
からである

ヒトが
三人以上
寄れば
必ず
そこには
観念としての
〈公—私〉が
それぐに
成立する
のである

(因に
世捨てびと
にも
当然ながら
「世」は
ある
ということ)

—・—

(マルクスは
人間の
「疎外態」
を
止揚して
人間を
〈エデンの園〉
に
戻したかった
のかも
しれない)

(サルトルは
「人間とは
〈神〉になろう
として
挫折する
存在」
といい
その
〈神〉とは
かれにとって
は
〈即自存在〉
のことである

だが
この
〈即自存在〉
は
わたしに
とっては
〈神〉
ではなく
〈動物〉
である)

脳神経科学

一

ヒトの
脳は
一千億個の
神経細胞
よりなる
といわれる

そして
その
ひとつ〳〵の
細胞が
それ〴〵
一万個の
他の
細胞に
結びついて
いる
といわれる

一千億個が
互いに
一万個に
結びつく――
その
（結びつきの）
組み合わせ
たるや
この
宇宙に
存在する
素粒子の
数を
超える
ともいわれる

となると
現在の
脳神経科学
は
その
どの
組み合わせ
が
また
どの
組み合わせ
と
どの
組み合わせ
の

組み合わせ
が
〈意識〉を
もたらす
のかを
研究している
ようなもの
である
まさに
無謀

それに
〈意識〉とは
何か
が
いまだ
判然とせず
定義
されないまま
それを
脳の
なかに
探している
のである
探している
ものが
わからない
まま
探している
のである
まさに
無謀

二

まず
〈意識〉とは
何か
を
定義する
こと
探すものが
わからない
では
探しようが
ない
だが
これは
極めて
難問である
これまでの
長い
哲学の
歴史
においても
いまだ
その
答えが
見つかって
いない
のである

しかし
それが

できれば
研究の
方向性も
見えてくる
だろう

そうなれば
個々の
脳を
いくら
いじっても
〈意識〉へは
行きつかない
ことが
わかるだろう

三

〈意識〉の
問題は
実証科学の
問題
であるまえに
「形而上学」の
問題
である

〈意識〉の
問題は
一度
脳から
離れて
研究者
自らで
それを
定義し
それから
脳へ
戻るべき
である

脳が
あって
〈意識〉が
ある
のではなく
〈意識〉が
あって
脳が
ある
のである

すべての
ものを
自らに
対自化する
ヒトの
脳の
〈意識〉
という
はたらき
それによって
ヒトの
「脳」も

自らに
対自化
（客体化）
されるので
ある

脳が
あっても
〈意識〉が
ない
動物は
いくらでも
いる

その
〈意識〉の
ない
動物の
「脳」を
さぐるのも
また
ヒトの
脳の
〈意識〉
という
はたらき
である

ものが見える

なぜ
ものが
見えるのか
という
問いは
純粋に
科学的な
問い
であろうが
その
答えは
科学には
ない
であろう
（いくら
目や
脳の
構造を
解析しても）

即ち
その
答えは
見えるから
見える
という
ほかは
ない
であろう

ものが
見える
ためには
見える
ということが
自覚されて
いなければ
ならない
そのことが
自らに
対自化
されて
いなければ
ならない

そうで
なければ
なぜ
見えるのか
という
問いも
起こりえない

動物にも
ものは
見えている
のだが
そのことが
自覚されて
いないため
ものが
〝見えて
いない〟
のである

そして
実は
そのことが

即ち
対自化
されて
いることが
なぜ
見えるのか
の
最終の
答え
なのである

即ち
ものが
見える
ことの
物理的な

説明を
いくら
うけても
そのまえに
ものが
見える
ということが
（どういう
ことかが）
分って
いなければ
その
説明は
説明にも
ならない
のである

これは
また
視覚
のみならず
他の
すべての
感覚
即ち
聴覚
触覚
嗅覚
味覚
などにおいても
同じである

即ち
まず
それが
事実
として
あり
また
それが
自覚
（対自化）
されて
いるから
問い
となり
答え
となる
のである

そして
また
それは
生きとし
生けるもの
の
基底に
なぜ
〈ある〉
が
あるのか
の
問いと
同じもの
である

それは
〈ある〉
から
ある
としか
答えようが
ない
のである
そして
〈ある〉
から
見える
きこえる
としか
答えようが
ない
のである

すべては
〈ある〉
に
はじまり
すべての
問いや
答えは
〈意識〉
（対自化）に
はじまる

〈意識〉の学

ヘーゲルの
哲学は
「真理」の学
ハイデッガーの
哲学は
「存在」の学
であるが
わたしの
それは
〈意識〉の学
である

というのも
ヘーゲルの
「真理」も
ハイデッガーの
「存在」も
われわれの
（かれらの）
〈意識〉
によって
自らに
対自化
（対象化）
された
事象の
観念（名辞）化
にすぎない
からである

ヒトの
脳に
〈意識〉
という
はたらき
が
なければ
何ごとも
自らに
対自化
（対象化）
されること
はない
ゆえに
まず
〈意識〉
である
〈意識〉とは
何か
それは
いかにして

ヒトの
脳に
成立したか
これが
哲学の
根本
である

そのあとの
ことは
即ち
そのあと
さまぐ＼な
ひとが
その
〈意識〉

によって
何を
対象化し
それを
どのように
観念化
しようと
それは
その
それぐ＼の
ひとの
ひとつの
「思想」
にすぎない

—・—

「ヘーゲルの
体系そのものは
一つの巨大な
流産で
あった」
（エンゲルス）
そして
また
マルクス、
エンゲルスの
体系も・・

救い

「悟り」とか
「空」とか
「無」とか
「浄土」とか
また
「神の恩寵」
とか
「最後の審判」
とか
「天国と地獄」
とか
いろ〳〵
語られて

「救い」が
問題に
される

だが
そのためには
「救われる」
ためには
「救われる」
〈自己〉が
存在しなければ
ならない
〈自己〉が

自らに
対自化
されて
いなければ
ならない
即ち
〈意識〉
により
〈自己〉が
自らに
対自化され
その
〈自己〉の

未来
（死後）が
問題に
され
「救い」が
問題に
なる
のである

〈意識〉の
ない
動物の
自己

即ち
即自的な
自己には
「救い」の
問題は
ない

色

脳の
なかには
赤や青の
色彩は
ない

あるのは
ニューロンの
電気刺激
だけ
である

それを
色
として
見るのは
（ヒトの）
心
である

と
J・エックルス
はいう

これは
脳の
神経プロセス
と
（ヒトの）
経験は
別物
とする
欧米的
考えの
一典型
である

だが
すべてを
欧米的
個体プロセス
から
はじめる
のではなく
人類の
共同的
プロセス
から
はじめる
ことも
重要である

即ち
人類の
言語形成
プロセスは
もの
（外界）の
共同的な
客体化
プロセス
であり
その
一環として
「色」も
共同的に
対象化
（客体化）
された
のである

即ち
（われわれの）
外界には
さま〲な
ものが
存在し
その
ひとつに
「色」
があり
また
そこには
さま〲な
差異が
あるため
その
ひとつ〱を
区別し
対象化し
それ〲に
銘名して
いった
のである
（それが
「色」の名
である）

決して
脳の
神経プロセス
と
ヒトの
経験プロセス
との間に
ギャップが
あるわけ
ではない
のである

問答 ―― 記憶

わたしの
記憶の
なかで
もっとも
古いものは
――

いつの
頃の？

二、三才の
頃だと
思う

二、三才？

そういう
記憶が
ある

そういう
って？

二、三才の
頃の
思い出が

思い出？
どういう

どういう
って
二、三才の
頃の
わたしが
体験した
つまり
見たり
聞いたり

した
ものの
思い出

ということは
一才の
頃の
思い出は
ない？

ない

一才の

頃も
ものを
見たり
聞いたり
していたのに
その
記憶は
ない？

ない

と
いうことは
一才の
頃には
まだ
その
見たり
聞いたりする
〈わたし〉が
ない？

そうかも

つまり
〈わたし〉が
ないと
記憶も
ない？
（残らない？）

そうかも

それとも
〈わたし〉は
あったが
記憶の
装置が
まだ
できて
いなかった？

そうかも

そうかもって
どっち？

よく
わからない

つまり
〈わたし〉が
なかった
のか
〈わたし〉は
あったが
記憶の
装置の
方が
なかった
のかが
よく
わからない？

そう

その
〈わたし〉が
一才から
二才にかけて
現われる

そう

わたしは
その前から
いたのに
〈わたし〉は
二才から
現われる

そう

つまり
二才の
頃には
〈わたし〉が
あった
というのは
記憶の
装置が
できていた
ということ
だね

そう

だが
一才の
頃には
〈わたし〉は
あったが
記憶の
装置
の方が
なかった
のか
記憶の
装置は
できていたが
〈わたし〉の
方が
なかった
のか
それとも
その
どちらも
なかった
のかは
わからない

そう

と
いうことは
〈わたし〉と
記憶とは
同じような

ものかも
しれないね

同じもの？

いや
セットで
存在する
とか

セットで？

つまり
〈わたし〉が
あって
記憶が
ない
とか
記憶が
あって
〈わたし〉が
ない
とか
いうことは
ない
と

よく
わからない

だって
〈わたし〉が
記憶に
なる
のだし
記憶は
〈わたし〉に
蘇る
のだから

うん

つまり
〈わたし〉と
記憶は
同じような
もの
というのは
〈わたし〉が
あっても
記憶が
なければ
かつての
〈わたし〉は
存在しないし
これからの
〈わたし〉も
存在しない

うん

そして
記憶だけ
あって

〈わたし〉が
ない
ということは
ない
〈わたし〉が
記憶される
のであって
〈わたし〉に
記憶が
蘇る
のだから

うん

すなわち
〈わたし〉が

いなければ
記憶も
ないし
記憶が
なければ
〈わたし〉も
ない

うん

そうなると
この
〈わたし〉は

何？

何？

二才の
頃に
眠りから
醒める
ように
ポツリと
現われる
〈わたし〉

うん

もとから
あった
わたしに
スイッチが

入り
オン、
になった
〈わたし〉

うん

その
わたしを
オン、
にしたのは
何？

何？
記憶？

記憶装置
が
できたから
〈わたし〉が
できた？

そう

もとから
あった
わたしに
記憶装置
が
できたから
〈わたし〉に
なった？

そう

だが
記憶が
あっても
〈わたし〉が
ない
ものもいる

？

ヒト
以外の
動物

？
〈わたし〉が
なければ
記憶も
ない
のでは？

つまり
記憶は
そのまま
〈わたし〉
には
ならない
ということ

？

記憶装置
が
あっても
わたしが
わたしの
まま
ということ
もある
ということ

では
記憶は？

記憶は
〈記憶〉

ではなく
記憶の
まま
ということ

それが
ヒト
以外の
動物？

そう

では
わたしを
〈わたし〉に
するのが

記憶では
ない
とすれば
それは
何？

それは
〈意識〉

〈意識〉？

そう
〈わたし〉も
〈記憶〉も
〈意識〉の
産物

……

わたしが
〈わたし〉に
なるのも
記憶が
〈記憶〉
になるのも
〈意識〉の
はたらき

〈意識〉の
はたらき？

そう
〈意識〉

という
ヒトの
脳の
はたらき

……

では
〈意識〉とは
何か
〈意識〉は
いかにして
ヒトに
成立したか

……

見解と
反論

見解一

意識は
鳥類と
すべての
哺乳類に
存在する

だが
ヒト
以外の
それには
思考も
自我も
ない

反論
思考も
自我も
もたらさない
意識など
意識では
ない

見解二

意識には
感覚的な
意識と
内省的な
意識
とが
ある

反論

意識に
種類など
ない

見解三

意識は
自己同一性
そのもの

反論

自己同一性
は
生きとし
生けるもの

の
基底をなす
〈ある（意味）〉
そのものに
由来する

見解四

意識は
一つの
対象物が
もつ
いろ〳〵な
特徴を
結びつける
ために

必要

反論

いわゆる
統合作用
は
これも
また
〈ある（意味）〉
そのものに
由来する

見解五

意識は

知覚に
とって
不可欠
ではない

反論

知覚は
感覚とは
ちがって
自らが
感覚する
ことである
から
意識は
必要

結論
及び
定義

意識は
すべての
ものを
自らに
対自化する
ヒトの
脳の
はたらき

いろ〱な意識

マルクスは
動物
には
意識は
ない
といい
ベルグソンは
アメーバ
にも
漠然とした
意識は
ある

という

マルクスは
「わたしの
環境に
対する
関係が
わたしの
意識
である」
といい
「動物は

何に
対しても
関係しない」
から
動物
には
意識は
ない
と

だが
これは

正しくない
動物
だって
環境に
対して
関係して
いる

餌物に
出会えば
追いかける
し

天敵に
会えば
逃げるし
水が
欲しくなれば
水場にも
行く

ただ
その
関係が
即自的
であり
対自的
ではない
だけである

では
なぜ
動物の
関係は
即自的で
ヒトの
それは
対自的
なのか

それは
ヒトの
脳の
意識
という
はたらき
による

では
意識とは
いかなる
はたらき
であるのか
それは
いかにして
ヒトの
脳に
成立したのか

マルクスや
ベルグソン
のみならず
欧米の
哲学者
脳神経学者
には
この
問いが
ない

「意識とは
意識された
存在以外の
何ものでも
ない」
(マルクス)
「意識とは

何かに
ついての
意識である」
（フッサール）

これでは
ただの
同語反復
論点先取り
であり
意識
について
何かを
語った
ことには
ならない

統合

ものの
形や
色や
目方や
臭いや
音や
肌ざわり
などを
統合して
ひとつの
もの
にするのが
〈意識〉の
役割
のように
ベルグソン
も
フッサール
も
いうが
そのような
統合（作用）
は
〈意識〉の
ない
動物にも
ある

即ち
それらの
統合（作用）
は
すべて
生きとし
生けるもの
の
基底をなす
〈ある（意味）〉
に
由来する
ものである
〈意識〉とは
関係ない

また
フッサール
は
「意識とは
何ものか
についての
意識である」
といい

「意識の
生は
思われた
ものを
もった
思うこと」
というが
「思われた
ものを
もった
思うこと」
は
〈意識〉の
ない
動物にも
ある

ただ
動物では
それが
対自化
されて
いない
だけである

ジェイムズ＝ランゲ説

ジェイムズ＝
ランゲ説
といわれる
もの
によると
われわれの
情動は
心拍の増加
筋肉の
緊張
及び
発汗
などの
原因
ではなく
その
結果
である
らしい

即ち
われわれは
悲しい
から
泣く
のではなく
泣く
から
悲しい
らしい

こわい
から
震える
のではなく
震える
から
こわい
と感じる
らしい

では
この
順序の
逆転は
この
錯覚は
どこから

くるのだ
ろうか

これこそが
まさに
〈意識〉の
しわざ
なのである

また
これが
〈意識〉が
われわれの
脳に
あとから
付け加わ
わった
機能の
証し
なのである

即ち
われわれの
身体の
さま〴〵な
活動に
伴って
生じる
何らかの
情動
らしきものが
われわれの
〈意識〉
により
対自化され
それが
われわれの
〈情動〉
となり
ひいては
〈内面〉
となって
いった
のである

じじつ
動物
においては
（即ち
即自性
においては）
泣く
と
悲しい
は
同じ
出来事
であり
そこには
時間差は
ない

その
同じ

出来事を
別々に
とらえ
時間差が
あるように
見せる
のは
〈意識〉の
しわざ
である

また
この
ジェイムズ＝
ランゲ説は
われわれが
ある種の
音楽を
きくと
悲しく
なったり
楽しく
なったりする
という
現象に
通じる
かもしれない

まず
リズムや
メロディに
われわれの
身体が
反応し
それから
悲しい
とか
楽しい
とかいう
情動が
生じる
のかも
しれない

リベットの実験

リベットの
実験では
被験者は
〝いつでも
すきな
ときに
腕を
動かして
ください〟
と
指示される

そして
被験者が
指示通り
任意に
腕を
動かすと
その
少しまえ
（〇・五秒
ほどまえに）
すでに
被験者の
脳の
ニューロンは
発火している
といわれる

このこと
から
ヒトの
意志は
行為の、
原因、
ではなく
結果、
にすぎず
ヒトには
自由意志
など
ない
といわれる
ことになる

だが
よく
考えて

みれば
わかる
ことだが
即ち
だれもが
自らの
行為を
よく
観察して
みれば
わかる
ことだが
ヒトは
腕を
動かそうと
するとき
動かし
はじめてから
動かそうと
思う
のである

動かそうと
思ってから
動かす
のではない
のである

だから
そこに
即ち
ニューロンの
発火と
思う
こととの
間に
いくばくかの
ズレが
あっても
少しも
不思議では
ない
のである

この
実験は
ただ
そのことを
証明した
にすぎない
のである

ゆえに
このこと
から
前述の
ような
ことも
いいたてて
大騒ぎ
すること
など
ないのである

また
自由意志
について
いえば
ここでの
問題は
〝すきな
ときに〟
意味もなく
腕を
動かす
ということ
である

即ち
そんなこと
をする
動物は
ヒト
以外に
いるだろうか
ということ
である

まさに
これこそが
（ヒトの）
自由意志
である

因に
動物には
この
実験は
不可能
である
〝すきな
ときに
腕を
動かす〟
自由な
〈自己〉が
存在しない
からである

そこでは
ニューロンの
発火が
その
動物の
意志
そのもの
自己
そのもの
である
からである

その
即自的な
意志
そのもの
自己
そのものが

（ヒトの）
〈意識〉
によって
主体
として
自らに
対自化
されたのが
ヒトの
〈自己〉
である

即ち
ヒトの
対自的な
〈自己〉は
動物の
即自的な
自己に
上積み
されたもの
である

即ち
自由意志
とは
この
〝〇・五秒〟
おくれの
対自的な
〈自己〉に
かせられた
社会的
文化的
概念
なのである

道徳や
責任や
思いやりや
法などと
対置される
概念
なのである

動物的な
行為と
人間的な
行為を
無媒介に
対置して
所詮
〝人間も
動物である〟
ゆえに
ヒトには
（動物同様）
自由意志
など
ない
といっても
あまり
意味は
ない

ゾンビ

ゾンビ
とは
知的な
ふるまいを
している
ように
見えながら
実は
意識を
もたない
主観的
体験を
もたない

内面は
完全な闇
の存在
といわれる

これを
逆から
見ると
意識とは
主観的
体験を
もたらし
内面を
もたらし
知的
ふるまいを
もたらすもの
となる

即ち
意識とは
個体を
主体として
対自化
させるもの
となる

「意識
こそは
人生に
意味を
与えるものだ
といえるかも
しれない
それは
ぼくたちの
生を
理解可能で
おもしろく

価値ある
焦点に
してくれる
そして
ゾンビの
世界には
何の
意味もない」
（チャーマーズ）

だが
「意味」も
「価値ある
焦点」も
意識に
ある
のではない
それは
すでに
見てきた
ように
生きとし
生けるもの
の
基底をなす
〈ある〉に
由来する
ものである

鏡像

鏡に映った
像が
自己像で
あるか
否かが
わかることが
自我の
感覚が
あるか
否かの
基準
という

だが
この
考えは
一見
もっとも
らしく
思えるが
その実
考え方が
逆
のようにも
思われる

即ち
鏡に映った
像が
自己像で
あることが
わかる
ためには
そのままに
自らの
存在が
自らに
対自化
（自覚）

されて
いなければ
ならない
即ち
自らが
自らの
内なる
〈鏡〉に
映って
いなければ
ならない

料金受取人払郵便

小石川局承認

5992

差出有効期間
令和４年３月
31日まで
（期間後は切手をおはりください）

郵便はがき

112-8790

105

東京都文京区関口1-23-6
東洋出版 編集部 行

本のご注文はこのはがきをご利用ください

●ご注文の本は、小社が委託する本の宅配会社ブックサービス㈱より、１週間前後でお届けいたします。代金は、お届けの際、下記金額をお支払いください。

お支払い金額＝税込価格＋手数料 305円

●電話やFAXでもご注文を承ります。
電話 03-5261-1004 FAX 03-5261-1002

ご注文の書名	税込価格	冊 数

● 本のお届け先 ※下記のご連絡先と異なる場合にご記入ください。

ふりがな
お名前 お電話番号

ご住所 〒 −

e-mail @

ご記入いただいた個人情報は、お問い合わせへのお返事、ご注文の商品発送、新刊・企画などのご案内以外の目的には使用いたしません。

東洋出版の書籍をご購入いただき、誠にありがとうございます。

今後の出版活動の参考とさせていただきますので、アンケートにご協力いただきますよう、お願い申し上げます。

● この本の書名

● この本は、何でお知りになりましたか？（複数回答可）
1. 書店　2. 新聞広告（　　　　新聞）　3. 書評・記事　4. 人の紹介
5. 図書室・図書館　6. ウェブ・SNS　7. その他（　　　　）

● この本をご購入いただいた理由は何ですか？（複数回答可）
1. テーマ・タイトル　2. 著者　3. 装丁　4. 広告・書評
5. その他（　　　　）

● 本書をお読みになったご感想をお書きください

● 今後読んでみたい書籍のテーマ・分野などありましたらお書きください

ご感想を匿名で書籍のPR等に使用させていただくことがございます。
ご了承いただけない場合は、右の□内に✓をご記入ください。　□許可しない

※メッセージは、著者にお届けいたします。差し支えない範囲で下欄もご記入ください。

●ご職業　1.会社員　2.経営者　3.公務員　4.教育関係者　5.自営業　6.主婦
7.学生　8.アルバイト　9.その他（　　　　）

●お住まいの地域

都道府県　　市町村区　男・女　年齢　　歳

ご協力ありがとうございました。

そして
また
そのことは
自らが
自らの
内だけ
ではなく
外にも
もの（対象）
として
存在する
ことも
知っている
ことでも
ある

即ち
他者の
うちにも
一つの
像として
観念として
ものとして
存在する
ことを
知っている
ことでも
ある

であるから
外の
鏡の像に

向うことは
これらのことを
ただ
確認する
だけのこと
なのである

意識が
ある

「わたしは
今
意識が
あるか」
という
問いは
成り立たない

なぜなら
意識は
わたしの
産物では
なく
〈わたし〉が
意識の
産物
である
から

産物
である
〈わたし〉が
（産出する）
意識を
キャッチ
することなど
できない

意識と
〈わたし〉は
別物
である
〈わたし〉が
意識
でも
なければ
意識が
〈わたし〉
でもない

〈わたし〉は
意識
によって
対自化
された
一個の
動物
としての
主体
即ち
一個の
〈ある（意味）〉

である

それに
対し
意識は
すべての
ヒトに
備わった
（〈ある〉
である）
自ら自身を
はじめ
すべての
ものを
自らに
対自化する

ヒトの
脳の
はたらき
である

では
「わたしは
今
意識が
あるか」
という
問いに
「イエス」
と答える
ことは
何を

意味して
いるのか

（そして
この
場合
「ノー」
という
答えが
ありえない
のは
何を
意味して
いるのか）

それは

即ち
「イエス」
というのは
〈わたし〉が
意識を
キャッチ
している
のではなく
意識に
よって
対自化
された
〈わたし〉が
その
意識
（という

はたらき）
を
一つの
対象として
対自化
させている
ということ
である

では
その
意識の
はたらき
そのものが
どのように
して
〈わたし〉の
一つの
対象と
なるのか

それは
歴史的に
展開された
〈言語〉
による
他者との
共同的な
ものの
客体化
（対象化）の
はたらき
によって
であろう

その
過程で
われわれ
ヒトは
他の動物
とは
ちがって
自分の
存在を
自覚している
（対自化
している）
と
気がついた
のであろう

だが
そのあと
それが
（その
現象自身
が）
研究の
対象には
ならず
今日に
至っている
のである

脳の解明
意識の解明

意識が
ようやく
科学の
対象に
なってきた
という

そして
意識は
脳の
産物
だから
と
脳の
解明が
はじまる

だが
肝心の
意識の
解明は
はじまらない

意識とは
何か
を
(科学的に
哲学的に)
定義
しないで
(できないで)
脳を
解明して
どうする

解明すべき
当のもの
が
判然と
しないまま
脳を
解明して
どうする

頭の起源

エサの
効率的な
捕獲
のために
脳（神経）
が
身体の
前部
（口のそば）
へ
そして
それが

損傷を
うけない
ために
硬い殻
（骨）で
覆われる
ことに
これが
頭の
起源
である

それが
今では
エサのこと
だけではなく
自らの
存在の
意味を
問うまでに
なっている

研究者

〈自己〉
という
現象を
どう
とらえて
いいのか
わからない
から
〈自己〉など
ない
という

〈意識〉
という
現象を
どう
とらえて
いいのか
わからない
から
〈意識〉など
ない
という

即ち
どちらも
錯覚
だと

それなのに
日常に
戻ると
厳然と
〈自己〉が
あり
侮辱され
れば
怒るし
ほめられ
れば
喜ぶ

また
ふだんに
〈意識〉
という
語を
使って
会話する

即ち
意識的に

とか
意識する
とか
意識を
集中する
とか

その
ふだんの
〈自己〉
ふだんの
〈意識〉
を
どう
とらえて
いいのか

わからない
だけ
である

自らを意識する

われわれ
ヒトは
（脳に）
〈意識〉
という
はたらき
をもつ
動物である
そのため
われわれが
認識する

ものには
たえず
自己感覚
が
つきまとう
それは
〈意識〉
という
はたらき
が
すべての

ものを
自ら（主体）
自身に
対自化する
はたらき
だからである
といって
われわれが
自らの
存在を
たえず

意識している
（正確には
感覚主体
が
自らを
感覚する）
わけではない
むしろ
われわれの
日常の
大半に

おいては
自らの
存在は
もの（対象）
のかげに
かくれて
しまっている

この
〈自己〉の
存在が
対象自身
として
自ら自身
のまえに
現われる
のは
極めて
まれである

その
まれな
ケースには
考えて
みると
二通り
ある

即ち
一つは
ぼんやりと
したとき
などに
感覚が
一瞬
その
対象を
失って
自ら
自身に
向うとき
である

二つは
その
主体が
日常
において
激しい
喪失感に
みまわれた
とき
である

即ち
肉親や
恋人や
仕事
などの
突然の
喪失
である

この

二つの
対象の
喪失
即ち
ぼんやり
とした
状態
と
激しい
喪失感
の間に
ヒトの
日常が
ある

出会わない

〈意識〉とは
すべての
ものを
自らに
対自化する
ヒトの
脳の
はたらき
である

ゆえに
脳の
なかを
いくら
探索して
も
〈意識〉に
出会う
ことは
ない

ものを
対自化する
はたらき
が
何かに
出会う
ことなど
ありえない
のである

ただ
その
はたらきに
かかわる
(と推測
される)
物質
または
組織に
出会う
ことはある

だが
その
(物質
または
組織に)
出会う
当の
ものは
〈意識〉

ではない
〈わたし〉
である
〈わたし〉の
思考
である
即ち
〈思考《わたし》〉
である

それが
現在
脳神経科学
などで
行われて
いること
である

そも〳〵
〈意識〉は
何かを
探索したり
何かと
出会ったり
するもの
ではない
それを
行うのは
思考
である

では
なぜ
〈意識〉は
思考の
対象に
なったのか
どのように
して
思考の
対象に
なったのか

それは
〈言語〉
によって
である

他者との
共同的な
ものの
客体化
（対象化）
によって
である

その
歴史的な
過程の
どこかで
われわれ
ヒトは
他の
動物とは

（その現象が）
ながく
研究の
対象
にはならず
今日に
至っている
のである

ちがって
自らの
存在を
はじめ
すべての
もの、を
対自化
している
ことに
気づいた
のかも
しれない

だが
それ以来
それが

〈心〉の構造

脳と
〈心〉の
関係は
構造（物質）
と
機能の
関係
である
と
いうひと
がいる

即ち
心臓や
血液が
構造
であり
循環が
機能
である
ように
また
肺が

構造
であり
呼吸が
機能
じん臓が
構造
であり
排せつが
機能
である
ように

確かに
そうとも
いえる
即ち
循環の
病いは
心臓や
血液の
病い
であろうし
呼吸の
病いは

肺の
病い
であろうし
排せつの
病いは
じん臓の
病い
であろう

だが
といって
〈心〉の
病いは
脳の
病い
といえる
だろうか
そう
簡単には
いえない
だろう

それが
〈心〉
（自我・
精神・魂）
の
問題の
難しい
ところ
である

〈心〉には
〈心〉独自の
構造が
ある
のである
即ち
観念としての
〈公―私〉の
構造

真理

どうやら
サルの
一種が
ヒト
になる
過程で
〈意識〉
というもの
が
成立し
（その
結果）
ヒトに

自ら
自身の
存在が
対自化
されること
になった

即ち
ヒトの
個々に
〈自己〉
が
成立し

同時に
その
〈自己〉
に
自らの
外界や
内界が
対自化
されること
になった

いま
ここに

存在する
〈わたし〉
も
その
サルの
延長上の
一個の
〈自己〉
にすぎず
それ
以上の
確かな
ことは

何も
いえない

もし
われわれに
〈真理〉
なるものが
ある
とすれば
この
〈事実〉
のみ
である

そして
この

〈事実〉が
何を
意味する
のかは
だれにも
わからない

ただ
われわれは
そのように
ある
と
いえるだけ
である

この

唯一の
〈真理〉に
比べれば
他の
真理
即ち
この
われわれの
〈意識〉が
もたらす
（対自化の
はたらきが
もたらす）
さま〴〵な
思想や
理論や

学説
などは
はなはだ
主観的で
相対的で
仮定的
なものに
すぎない

内容と形式㈠

〈意識〉とは
何か
という
問いに
対する
哲学や
心理学や
脳神経科学
の
一般的な
答えは
「感覚や
感情
意志
思考
記憶
などの
総体」
となる

だが
それらは
〈意識〉のない
(と思われる)
動物にも
多かれ
少なかれ
存在する
ものである

ヒトの
〈意識〉は
それらの
動物的
(即自的)な
諸々を
(自らに)
対自化する
はたらき
である

即ち
哲学や
心理学や
脳神経学
の
定義は
対自化
された
内容
であり
その

総体
であって
〈意識〉
そのもの
ではない

〈意識〉の
内容
と
形式《はたらき》
を
混同すべき
ではない

概念——符号

イヌを
みて
なぜ
ヒトは
イヌと
いうのか

この
現象を
過去に
遡ることが
〈言語〉の
成立仮定
を
遡ること
でもある

即ち
〈言語〉
による
共同的な
ものの
客体化の
過程

そこから
〈イヌ〉や
〈ネコ〉や
〈ウシ〉や
〈ウマ〉が
成立する

そして
次には
オジロ〈ワシ〉
ゴマフ〈アザラシ〉
タンチョウ〈ヅル〉
などと
なる

これらは
みな
ヒトが
外界に
つけた
符号
である
それを
幼児期に
すりこまれる
のである

因に
わがくに
では
イヌは
「ワン〳〵」
であるが
韓国では
「モン〳〵」
であり
アメリカでは
「バウワウ」
であり
ヴェトナムでは
「ガウ〴〵」
である

そう
すりこまれて
いるから
そう
きこえるが
実際
イヌが
どう
吠いて
いるかは
イヌ
それ〴〵で
ある

再感覚する

〈意識〉を
意識する
ことは
できない
という
意味は
〈意識〉の
はたらき
は
対自化の
はたらき
であるから
その
対自化の
はたらき
そのもの
を
対自化する
ことは
できない
という
意味
である

だが
その
はたらき
そのもの
を
（〈意識〉の）
ひとつの
対象
として
対自化する
ことは
できる

そうで
なければ
〈意識〉
という
呼称
そのものが
存在
しなかった
はずである

〈意識〉
とは
感覚された
ものを
感覚主体

ともども
再感覚する
はたらき
である

即ち
即自的な
感覚を
再感覚する
はたらき
である

それゆえ
その
再感覚の
はたらき

を
対自化の
はたらき
として
再々感覚
することで
対象化し
対自化する
ことは
できる

その
対象化
され
対自化
された

はたらき　　　感覚
に　　　　　（機能））
あてがわれた
呼称が
〈意識〉
なのである

（感覚は
実体名
〈意識〉は
機能名

〈意識〉は
あとから
付け
加わった

自己意識

自己意識
とは
〈自己〉
と
〈意識〉
という
二つの
概念の
複合体
である

即ち
一の
〈意識〉
は
感覚の
再感覚化
である
感覚された
ものが
（再度）
感覚される
という
ヒトの
脳の
はたらき
である

二の
〈自己〉
は
その
感覚の
再感覚
により
即自的な
感覚が
感覚主体
として
自らに
対自化
されたもの
である

（即ち
対自化
された
生きとし
生けるもの
の
基底をなす
〈ある（意味）〉

である）
自己意識
という
概念は
これらを
つづめたもの
である
だが
正確には
自己感覚
である

哲学

哲学の
中心テーマ
は
存在
と
認識
といわれるが
それより
重要
なのは
〈意識〉
である

というのも
一般に
ヒト
以外の
動物にも
ものは
存在
するし
認識
もされる

ただ
それが
即自的
なだけ
である

それを
対自化
したのが
ヒトの
脳の
〈意識〉
はたらき
である

対自化
されない
ものは
即ち
即自の
ままの
ものは
存在
しない
に等しい

ゆえに
重要

なのは
存在
でも
認識
でもなく
〈意識〉
である

〈意識〉とは
何か
それは
いかにして
ヒトに
成立したか
が
哲学の
最重要
課題
である

〈意識〉
のない
ところには
存在
も
認識
も
哲学
も
ない

欧米的発想

〈意識〉
研究
における
欧米人の
特徴
（日本の
研究者は
その
あとおい
だから
同じ）

一

〈意識〉
と
感覚
感情
意志
思考
記憶
などとの
区別が
ないこと
両者を
同じもの
として
とらえて
いること

二

そうで
ありながら
一方では
両者を
区別して
後者が
解明されれば
前者も
解明される
としている
こと
即ち
後者の
個々の
構造を
解明すれば
前者も
解明される
とする
こと

三

他者も
自己と
同じ
〈意識〉をもつ
存在
であること
を
知る
手掛りを
もたないこと
即ち
独我論
から
抜けだす
すべを
もたないこと

結論

これらの
問題を
一気に
解決する
ためには
自らの
発想を
すて
〈意識〉が
人類に
共同的に
成立した
という
歴史に
たちかえる
ことである

さて
〈意識〉は
いかにして
人類に
成立したか

定義㈠

動物に
〈意識〉が
あるか
否かは
永遠の謎
といわれる

というのも
かれらに
そう
問うても
答えが
ないから
と

だが
しかし
仮に
かれらが
答えて
こういった
としたら
ヒトは
どうする
のだろう

即ち
〝お訊ねの
その
〈意識〉
とやらは
いったい
どのような
ものを
指すので
しょうか〟

こうなると
今度は
問われた
ヒトの
方が
答えに
窮する
はずである

なぜなら
ヒトは
動物に
そう
問いながら
その実

自らは
それが
何であるか
を
わかって
いない
からである

それは
現在の
脳科学者
が
〈意識〉の
定義を
あいまいに
したまま

それを
脳の
なかに
捜し求めて
いるのを
見れば
わかること
である

即ち
捜すもの
が
判然と
しないまま
捜している
のである

だが
それでも
ヒトは
動物に
そう
問われて
再び
こう
問いかえす
かも
しれない

即ち
〝まあ
〈意識〉の
定義は
ともかく
キミたちは
自らの
存在を
自覚して
いるか？〟
と

これが
今のところ
われわれが
いえる
精一杯の
〝定義〟
であろう

即ち
〈意識〉が
ある
ことと
自らの
存在を
自覚して
いることは
同義
である
と
われわれは
漠然と
考えている
からである

だが
こうなると
〈意識〉の
定義も
ずいぶん
せばめ
られてくる

行動

ヒトの
日常の
行動は
ほとんど
無意識
そこでは
行動
と
感覚
感情
意志
思考

などが
一体のごとく
である
行動
のみが
あって
他は
ない
かのごとく
である

動物の

日常が
大方
これであろう
そこに
（その
無意識の
世界に）
前記の
感覚
感情
意志
思考

などが
（区別されて）
あるかの
ごとく
思われる
ように
なったのは
ヒトの
世界に
〈言語〉
及び
〈意識〉が
成立して

からである

それに
より
それらが
対象化され
対自化される
ように
なってから
である

情報処理能力㈡

脳の
複雑な
情報処理
能力と
〈意識〉の
成立を
単純に
結びつける
べきでは
ない
それを

やるから
高等動物
から
下等の
それに
至るまで
ランク付け
された
優劣のある
〈意識〉が
存在する
ことになる

だが
〈意識〉は
あるか
ないかの
どちらか
であり
種によって
優劣のある
もの
ではない

〈意識〉は
〈言語〉に
よる
共同的な
ものの
客体化
の
結果
として
ヒトに
成立した
もの

であり
動物に
おいても
その
視点から
みるべき
である

大脳皮質

ヒトが
ヒトである
ゆえんは
大脳皮質
の発達
ではなく
そのような
ことを
問うたり
答えたり
すること
にある

即ち
〈意識〉の
成立

サルから
ヒトへの
進化の
過程に
おける
〈意識〉の
成立

すべての
ものを
自らに
対自化する
〈意識〉
という
はたらき
の成立

大脳皮質
云々は
ヒトが
ヒトと
なった
即ち
〈意識〉を
成立させた
あとの
ヒト
としての
ひとつの
問い
であり
答え
である

〈意識〉が

成立して
いなければ
問い
も
答えも
ない

〈わたし〉㈠

脳は
睡眠中
にも
活動し
〝思考〟
している
という

であれば
一体
この
〈わたし〉は
だれ？

といいたく
なる

というのも
〈わたし〉が
考える
のではなく
脳が
勝手に
考えて
いるから
である

覚醒時に
得た
情報を
睡眠時に
整理し
それを
過去の
記憶と
つき合わせて
新たな
〈わたし〉を
作り上げ
目醒めた

ときの
〈わたし〉に
ひきわたす

即ち
すべてが
自動的
である

そして
この
自動的な
もの

が
〈意識〉
によって
自らに
対自化
されたのが
〈わたし〉
なのである

さて
この
自動的な
もの
の
正体は
何か

これが
生きとし
生けるもの
の
基底をなす
〈ある（意味）〉
なのである

変形

脳内の
いかなる
不思議な
現象も
その
生命体の
生命体
としての
基底をなす
〈ある（意味）〉
の
変形
にすぎない

即ち
いかなる
幻視も
幻聴も
また
体外離脱
や
臨死体験
などと
いわれるもの
も

すべては
自らの
内部の
〈ある〉
の
変形
にすぎず
自らの
外部に
あるもの
ではない

意識——無意識

われわれの
脳活動の
九五%は
無意識
であり
意識される
領域は
五%にも
みたない
といわれる

では
何が
意識
(対自化)され
何が
意識
されないのか

私見では
対自化
されるのは
自らの
存在
及び
他者の
存在
そして
われわれの
脳
を含めて
世界(外界)
のなかの
われわれの
〈言語〉の
とどく
範囲
であろう

ロボット博士

まず
ロボット
（の概念）が
あり
それから
人間を
機械的に
みている

ロボットを
分解する
ように
人間を

分解し
その
部品を
つくって
組み立て
れば
人間の
ような
ロボットを
つくれる
と
思っている

そこでは
意識
までが
部品となり
でき上がった
ロボットに
それを
はめこめば
人間の
ような
ロボットが
でき上がる
となる

心も
いくつかに
分解されて
その
部品より
なるため
簡単に
つくれる
となる

ここに
欠けている

のは
ロボットの
モデル
となる
人間
のみならず
生命
そのもの
に対する
洞察
である

即ち
数百億
数千億
数兆

数十兆の
細胞
よりなる
生命体

この
生命体
即ち
この
生きとし
生けるもの
の
基底を
なすものは
何か

それは
〈ある〉
である
即ち
〈意味〉
である

それは
一個の
アメーバ
から
ひとりの
人間
までに
共通する
ものである

それが
その
生命体の
主体
であり
その
生命体の
まさに
生命
である

この
一個の
アメーバー
にもある

〈ある〈意味〉〉
が
さま〴〵な
過程を
へて
ヒトの
〈言語〉や
〈意識〉
までに
なるに
至った
のである

いうまでも
なく
ロボットは
生命体
ではない
細胞より
なるもの
ではない
ゆえに
その
基底に
〈ある〉
はない

〈ある〉
がない
ものには
独自の
動きがない
主体性
がない
さま〴〵な
無機や
有機に
対する
機敏な
反応力
がない

人間の
ような
ロボットを
つくる
というが
そのまえに
一個の
アメーバーを
つくるべき
である

即ち
一つの
生命体を
一つの
〈ある〉を
一つの
〈意味〉を
つくるべき
である

それは

できまい
ここには
人間
のみならず
生命の
四十億年の
歴史
への
洞察が
決定的に
欠けている

催眠術

〈意識〉を
眠らせる
から
〈意識〉の
はたらき
を
停止させる
から
即ち
対自化の
はたらき
を
起こさせ

ないから
〈自己〉が
消滅し
醒めても
何ものも
〈記憶〉に
残らない

即ち
対自的で
ないものは
何ものも
〈記憶〉に

残らない

〈意識〉
〈自己〉
〈記憶〉

動物の
記憶は
この限り
ではない
動物の
記憶は
対自化

されない
身体の
記憶

ヒトの
〈記憶〉は
それ
プラス
対自化
された
個体
個有の
〈自己〉

の
〈記憶〉

（睡眠や
催眠術や
その他
事故
などで
〈意識〉を
失う、
ことがある
ということは
脳の
なかに
〈意識〉を
つかさどる

部位《メカニズム》が
ある
ということ）

自由意志

自ら
笑顔を
つくって
みると
それで
結構
心がなごむ
ことが
わかる

そこから
「身体の
動きが
先で
心が
後」
だから
ヒトには
自由意志
などない
などという
説が
でてくる

だが
自在に
笑顔を
つくれる
のだから
ヒトには
やはり
自由意志
がある・・・
？

（動物は
わざと
何かをする
ことなど
あるまい）

現象変換

感覚
感情
意志
思考
判断
記憶
そして
自己
これらは
ヒト
以外の
動物にも
存在している

ただ
それが
即自
のまま
なだけ
である

その
動物的な
即自性を
自らに
対自化

したのが
ヒトの
脳の
〈意識〉
という
はたらき
である

だが
現代の
哲学も
脳神経
科学も

この
ヒトの
〈意識〉
という
はたらき
を
その
感覚や
感情や
意志や
思考や
判断や
記憶

などと
不可分の
もの
とする
だけで
それ
自体
として
とらえよう
とは
しない

即ち
その
（動物的）
即自から
（ヒト的）
対自への
「現象変換」
の
発生論的
過程には
無関心
である

とりわけ
脳神経
科学
においては
それらの
起源
には
目もくれず
ひたすら
ヒトの
一個の
脳の
なかに
その
〈意識〉の
素を
即ち
対自化の
素を
捜し当て
ようと
するばかり
である
他の
動物には
ない
対自化の
素（物質）
が
ヒトの
脳の
なかに
あるはずだ
と

だが
実際に
もっと

深刻なのは
〈意識〉を
対自化の
はたらき
とさえ
していない
ことである

それ
ばかりか
〈意識〉が
何であるか
さえ
定義して
いない
のである

即ち
自らが
捜している
ものが
何で
あるのか
わからない
まま
それを
捜し回って
いる
のである

内容と形式㈡

「成長し
進化する
意識」
などという
研究者が
いる

だが
〈意識〉は
成長も
進化も
しない
成長し
進化する
のは
その
内容
である

即ち
精神
であり
心
であり
自我
である

また
感覚
であり
感情
であり
思考
である

〈意識〉は
それらを
自らに
対自化する
ヒトの
脳の
はたらき
である

だが
〈意識〉
という
語が
それらと
同義に
使われる

それで
「成長し
進化する」
などと
いわれる
のである

だが
〈意識〉は
成長も
進化も
しない

それは
内容
ではなく
形式《はたらき》
である

奥行き

われわれが
そこに
おいて
生活を
営む
自然（環境）

即ち
まわりの
山川草木
そして
さま〴〵な
動物群

それらは
もと〳〵
そこに
ある
ばかりで
名などなく
その
一つ一つに
それを
宛がったのは
われわれ
である

われわれが
〈言語〉
により
共同的に
それらを
対象化し
銘名した
ものである

この
〈言語〉
による

共同的な
ものの
対象化が
ヒトの
脳の
〈意識〉
という
はたらき
（即ち
対自化の
はたらき）
の
起源

でもある

そして
この
（対象化の）
はたらき
は
ヒトの
対自的な
視覚像
（感覚像）
に
こまやかな
奥行き
を
もたらす
ことにも
なった

即ち
それ〴〵の
即自的な
視覚像
（感覚像）
が
〈言語〉化
され
交換され
客体化
されて
共通の
知覚
となり
それが
共同的に
継承され
蓄積され
伝達されて
それ
自身の
奥行きを
獲得して
いった
のである

即ち
実生活
においては
自らの
食用に
適した
動植物の
種類や
分布
その
生態
そして
それらが
生育する
山野や
河川の
形状や
配置
など〳〵

また
これらの
知識や
情報の
交換
などに
伴う
日々の
他者との
交通が
互いの
外界
のみならず
その
内界の
奥行き
までをも
広げて
いったのである

そして
互いに
共通の
世界を
共有する
ことになり
これが
のち〱の
自らの
文化や
宗教や
科学
などの
礎となった
のである

形而上学

〈言語〉と
〈意識〉は
不可分の
もの
である

であるのに
脳科学は
なぜ
〈言語〉に
注意を
払わない
のか

〈意識〉
だけを
脳の
なかに
捜し求める
のか

それも
単独の
脳
の
なかに

〈言語〉は
単独の
脳
からは
生まれ
なかった

二者
でもなく
三者以上の
脳間
からしか
生まれな
かった

ゆえに
〈意識〉も
三者以上の
脳間
からしか
生まれな
かった

で
あるから

脳科学は
単独の
脳
から
過去の
人類の
共同の
脳
にまで
さかのぼる
必要が
ある

そこに
おける
共同の
〈ある〉
〈意味〉
〈言語〉
〈意識〉
〈即自と
対自〉
などの
関係の
発生論的
解明

即ち
〈意識〉は
実証科学
である
まえに
形而上学
の
問題
なのである

約束事

ヒトは
犬を見て
なぜ
みんな
「犬」
というのか

それは
幼児期に
あの
動物は
「犬」と
（よばれて
いる）
と
教えこまれる
から
である

また
犬は
「ワン〱」
と吠く
と
教えこまれる
から
「ワン〱」
と
きこえる
ようになる
のである

即ち
われわれは
こうした
さま〲な
約束事の
なかに
生まれてくる
のである

それが
身に
つかなければ
「異常」
とみなされる

それで
子供の
描く絵は
みんな
よくにている

のである
約束事に
満ちている
のである

太陽は
まるく
描かれ
四方に
光の矢を
放ち
木の葉は
細長く
描かれ
中央から
左右に
葉脈が
走っている
そして
犬は
「ワン〳〵」
と
吠いている

みんな
見たこと
きいたこと
ではない
教えこまれた
約束事の
実行
である

約束事が
身について
いない
子供の
絵は
「異常」
であり
「本物」
である

この
共同的な
約束事の
起源を
たどれば
人類の
〈言語〉
形成期
にまで
遡る

〈言語〉
による
ものの
共同的な
客体化
（約束事化）
そして
それが
次の
世代に

教えこまれて
いく

（因に
これが
また
自分の
頭で
考える
ことの
難しさに
かかわっている

その
時代の
支配的な
思想や
学説から
のがれる
難しさと
かかわっている）

心理

下等
脊椎動物
や
無脊椎
動物
そして
昆虫
などが
あたかも
「心理」を
もつように
思われる
子育てや
学習や
コミュニケー
ション
をするから
といって
それらが
〈意識〉を
もつ
ということ
にはならない

「心理」の
ようなもの
と
〈意識〉の
存在
を
単純に
結びつける
べきでは
ない

〈意識〉
など
なくても
それらは
可能
であるし
〈意識〉が
なければ
それらは
不可能
というわけ
でもない

ものを
感覚したり
認識したり
するのに

〈意識〉は
必要ない
無論
〈自我〉
なども

生命体
である
以上
(無機物
でない
以上)
それらは
何らかの
「思惑」で
動いている

その
「思惑」が
ヒトの
〈意識〉
により
対自化
されたのが
ヒトの
「心理」
であり
〈自己〉
である

だが
〈意識〉

なしにも
生きものの
「思惑」は
存在するし
その
〈主体〉も
存在する

即ち
即自的な
「思惑」
即自的な
〈主体(自己)〉

その
即自的な

「思惑」が
ヒトの
〈自己〉には
「心理」
のように
即ち
〈自己〉
のように
見えるだけ
である

形而上学
の問題

〈意識〉
についての
これまでの
研究の
特徴は
研究者
にとっての
その
定義が
区々《まちまち》である
ことである

そのため
それ〴〵の
研究が
その
研究者
にとっての
〈意識〉
の
研究
（解明）
にしか
なっていない
ことである

即ち
それが
〈意識〉
一般の
普遍的
研究
（解明）に
なっていない
ことである

そのため
その
「研究」に
つきあわ
される
われわれは
はじめの
段階から
つまずいて
急拠
普遍から
特殊へと

頭を
切りかえ
なければ
ならない
のである

そして
自らで
その
研究者の
独自の
定義
（大方は
イメージの
レベルに
とどまって
いる）を
さぐり
あてなければ
ならない
のである

そのこと
から
〈意識〉の
問題は
決して
科学的
「研究」の
テーマ
ではなく
形而上学の
問題
であること
が
わかる
のである

超感覚的
概念

ヒトは
〈言語〉
による
（他者との）
共同的な
ものの
客体化
によって
自らの
外界
及び
内界を
成立させ
（同時に
〈意識〉を
成立させ）
その
奥行きを
深化させて
いった

この
〈言語〉
〈意識〉
及び
外界・内界
の
成立の
過程は
同時
並行的
である

そして
その
奥行きが
深化
拡大される
につれて
それらを
より
推進する
ために
さま〴〵な
概念を
即ち
時間
空間

数
存在
実体
などの
超感覚的
概念を
成立させて
いったのである

意図と意識

哲学
においても
脳科学
においても
意図と
意識が
同義に
使われている
ことが多い

即ち
「意図的に」
という
ところを
「意識的に」
といったり
する

だが
意図は
意識のない
（と思われる）
すべての
動物に
存在する
（かれらが
生命体
であり
機械では
ないかぎり）
意識は
意図の
ような
企てや
たくらみや
思惑や
「志向性」
などという
有意的な
もの
ではなく
それら
すべての
ものを
自らに
対自化する
（ヒトの）
脳の

無意的な
はたらき
である

意図を
時間的
人称的
とすれば
意識は
無時間的
非人称的
はたらき
である

ロボット・動物・ヒト

ロボットは
（生命体
ではなく）
人工物
（機械）
であるから
即ち
その
基底に
〈ある（意味）〉
が
ないから

「自己同一性」
もない

また
観念としての
〈他者一般〉
即ち
観念としての
〈公〉が
ないから
〈私〉も
なく

〈自己〉も
ない

ヒト
以外の
動物には
その
基底に
〈ある〉が
あるから
「自己同一性」
はあるが

〈意識〉が
ないから
〈自己〉は
ない
即自的な
「自己同一性」
と
即自的な
〈自己〉

ヒト
には

その
基底に
〈ある〉が
あり
それが
〈意識〉
により
対自化
されて
いるから
「自己同一性」
も
〈自己〉も
ある

定義(二)

〈意識〉の
定義を
しないで
(できないで)
〈意識〉は
脳の
産物、
などと
いっても
あまり
意味はない

逆に
脳は
〈意識〉の
産物
でもある
のだから

因に
〈意識〉
(という概念)
も
〈意識〉の
産物
である
即ち
〈脳〉
〈意識〉
といっても
それらが
自らに
措定され
対自化、
されなければ
それらは
存在しない
に等しい
のである

その
自らへの
対自化の
はたらき、
が
ヒトの
脳の
〈意識〉
という
はたらき、
なのである

もう一つの
意味論

既存の
意味論
には
すでに
意味が
前提されて
いる
意味
そのものが
問われて
いるのに

だが
そうは
いっても
意味の
意味は
意味
であるから
そも〱
意味の
意味は
問えない
のである

意味は
意味
そのもの
であり
生きとし
生けるもの
の
基底をなす
〈ある〉
そのもの
である

ゆえに
意味の
意味を
問うのは
〈ある〉の
あるを
問うのと
同じである

意味は
なぜ

あるのか
〈ある〉は
なぜ
あるのか

それは
ある
から
ある
としか
いえない
のである

われわれ
は
この

事実
から
即ち
この
〈ある〉
から
すべてを
出発する
しかない
のである

引き合わせる

〈意識〉は
生きとし
生けるもの
の
基底をなす
〈ある〉
に
〈ある〉自身
をはじめ
すべての
ものを
対自化する
〈ヒトの
脳の〉
はたらき
である

即ち
〈ある〉
に
〈ある〉自身
や
ものを
引き合わせる
はたらき
であるから
その
はたらき
自身が
〈ある〉
自身に
引き合わ
されること
はない

ただ
その
はたらき
自身が
ひとつの
客体として
即ち
ひとつの
機能として
引き合わ
されること
はある

〈だが
この
作業は
〈意識〉

において
ではなく
思考
において
なされる
ことである）

では
この
はたらき
を
はたらき
として
〈ある〉
自身に
気づかせる

（引き合わせる）
メカニズムは
何か

即ち
ヒトが
〈意識〉
という
はたらき
を
もっている
と
自らに
気づかせる
契機は
何か

それは
もの（物質）
や
他の
動物と
比べて
自らが
自らの
存在を
自覚している
こと
その
差異に
気づくこと
において

であろう

そして
その
自覚の
はたらき
が
共同的に
客体化され
対自化
されて
〈意識〉
と
銘名された
のであろう

意識の対象化

意識は
一本の
実線
のように
恒常的に
持続的に
はたらく
はたらき
ではなく
いってみれば
電球が
ついたり
つかなかったり

するような
断続的な
不定期的な
破線
のように
はたらく
はたらき
であろう

この
ついたり
つかなかったり
することが

即ち
〈自己〉が
対自化
されたり
されなかったり
することが
共同的に
注視され
（その結果）
この
不思議な
現象を
自己に

もたらす
自らの
脳の
特殊な
はたらき
が
はたらき
として
対自化され
〈意識〉
と
銘名された
のであろう

基底

生きとし
生けるもの
は
〈ある（意味）〉
を
基底に
生きているが
ヒトは
その上
〈意識〉を
基底に
生きている

〈意識〉
即ち
すべての
ものを
自らに
対自化する
ヒトの
脳の
はたらき

そして
この
二つは

即ち
〈ある〉
と
〈意識〉
は
科学の
対象には
なりえない
のである

即ち
この
〈ある〉

が
なぜ
あるのか
の
答えは
なく
〈意識〉
そのものが
われわれに
対自化
されること
もない

われわれは　　　　　　　のである
これら
二つを
即ち
〈ある〉
と
〈意識〉
を
基底に
生きる
ことを
運命づけ
られた
存在
という
ほかはない

〈わたし〉(二)

〈わたし〉は
眠りと
ともに
消滅し
目醒めと
ともに
蘇る

それは
眠りと
ともに
〈意識〉が
なくなる

から
といわれる

即ち
〈わたし〉が
ある
のは
〈意識〉が
ある
から
と

他方

〈わたし〉
即ち
ヒト
以外の
動物も
眠り
また
目醒める

だが
かれら
には
〈意識〉が

ない
(と思われる)
から
〈わたし〉も
ない

で
あれば
かれらは
眠って
いようと
醒めて
いようと

同じ
ようなもの
である

〈わたし〉が
ない
のである
から

そう
考えると
どうやら
生命
には
はじめから
〈わたし〉

即ち
〈意識〉
など
必要なかった
ようである

ただ
眠り
目醒めて
いれば
それで
よかった
ようである

誰が
眠り

誰が
目醒めて
いようと
どうでも
よかった
ようである

そんな
生命
のなかに
突如
〈意識〉が
現われ
〈わたし〉が
現われた

そのことに
もっとも
驚き
困惑している
のは
当の
〈わたし〉
自身
である

見る

生命の
誕生が
植物だけに
限られて
いたら
どういう
ことに
なっていた
であろうか

広い
世界に
草木
だけが
息づいて
あたりは
風の音の
ほかは
深い
静寂に
つつまれる
ばかりである

その
静寂の
なかで
それらが
花を
咲かせ
実をつけ
枯れていく

また
その
静寂を
のせて
大陸も
静かに
移動していく
その
光景を
見る
ものは
だれも
いない

そして
数千万年
数億年
という
時間

だけが
流れていく

無論
植物
とともに
動物も
誕生する
のだが
それでも
人類が
登場する
までは
それを
見る
ものは
いない

人類が
登場し
そこに
〈意識〉が
成立し
〈わたし〉が
現われる
までは
それらは
だれにも
見られる
ことは
なかった
のである

動植物
のみならず
激しい
風雨も
天空の
星々も
大陸の
移動も
また
それらの
物質を
構成する
分子も
原子も
素粒子も
だれにも
見られる
ことは
なかった
のである

では
それらは
何のために
存在して
いたのか
将来の
人類に
見られる
ために
存在して

いたのか

そうでは
あるまい
人類に
おける
〈意識〉の
成立は
きわめて
偶然性の
高いもの
だから
である

さま〴〵な
偶然が
幾重にも
重り合って
生まれた
としか
思えない
からである

それは
ともかく
見る
は
〈意識〉
とともに
はじまる
のである
〈わたし〉が
見る
のである

動物も
ものを
見るが
ヒトの
見る
は
〈わたし〉に
ものが
対自化
される
ということ
である

即ち
ヒトの
脳に
成立した
自らを
はじめ
すべての
ものを
対自化する
〈意識〉
という
はたらき

共同性(二)

ヒトの
脳の
なかに
〈意識〉が
成立する
物質的な
条件が
揃った
から
そこに
〈意識〉が
成立した
のだろうか

そうでは
あるまい
そこに
もうひとつの
条件が
重なる

そこが
現在の
脳科学が
苦労して
いるところ
である

物質的な
条件
だけで
あれば
脳外に
その
条件が
揃えば
そこに
〈意識〉が
成立する
ことになる

それで
宇宙にも
〈意識〉が
ある
などと
いうひとが
でてくる
のである

では
その

もうひとつの
条件
とは
何か

それは
〈言語〉
である
〈言語〉を
介しての
ヒトの
脳の
〈共同性〉
である

表示

脳の
研究が
進んだから
といって
〈意識〉の
研究が
進んだわけ
ではない
〈意識〉は
感覚や
情動とは
ちがって

実験装置
などに
表示
される
種類のもの
ではない
表示される
とすれば
それは
被験者の
脳の
〈意識〉作用

にかかわる
（と思われる）
部位の
特定の
表示
にすぎない
それに
その
〈意識〉
なるものも
その
研究者に

とっての
〈意識〉
にすぎず
一般化され
定義化
された
〈意識〉
ではない
また
その
表示が
純粋に

〈意識〉
だけの
ものなのか
他に
不純物が
混っている
のかも
わからない

かりに
それが
純粋なもの
であっても
その
表示は
所詮

表示
にすぎず
〈意識〉
そのもの
ではない
〈意識〉の
カゲ
のようなもの
である

カゲを
つかまえた
から
といって
〈意識〉を
つかまえた

ことには
ならない

そも〱
〈意識〉は
つかまえ
られるもの
ではない
つかまえる
もの
なのである

すべての
ものを
自らに
つき合わせる

即ち
対自化する
（ヒトの
脳の）
はたらき
なのである

即ち
結論
として
いえば
こうした
〈意識〉を
つかまえる
実験

には
はじめから
〈意識〉の
定義が
欠けている

〈意識〉は
つかまえ
られるもの
なのか
つかまえる
もの
なのかの
考察が
欠けている

そして
たとえ
つかまえた
としても
それを
つかまえた
ものは

何か

即ち
つかまえ
られるもの
を
つかまえる
のではなく
つかまえる

もの
を
つかまえ
ようと
している
のである

カゲ

脳の
なかを
いくら
のぞいても
〈意識〉
そのものが
観察される
わけでは
ない

せい〲
〈意識〉の
はたらきの
断片が
ニューロンの
発火の
断片
として
観察される
程度
である

無論

その
発火が
〈意識〉
そのもの
ではない
それは
ただの
物質の
発火の
断片
にすぎない

その
発火の
断片が
一瞬
〈意識〉の
カゲを
宿した
にすぎない

と
いっても
それが
純粋に
〈意識〉
のみの
カゲ
なのか

それとも
他に
不純物を
含んだ
ものの
カゲ
なのかは
わからない

ゆえに
その
発火の
断片を
いくら
集めても
それは
〈意識〉の
カゲの
寄せ集め
にすぎない

それらを
みんな
集めた
ところで
〈意識〉
そのもの
即ち
「すべての
ものを
自らに
対自化する
はたらき」
が
観察される
わけではなく
観察される
のは
相変らず
ニューロンの
発火
だけで
ある

そして
〈意識〉は
その
ニューロン
という
物質に
カゲを
落しながら
いぜん
それらの
上空を
飛び回る
だけである

考える
器官

地球上に
生息する
生命体は
遺伝子的に
よく似ている
といわれる

そのこと
から
この
地球上に
生命が
誕生した
のは
一回きり
ともいわれる

それから
四十億年
それらは
ついに
われわれの
〈脳〉
にまで
即ち
〈意識〉
にまで
行きついた
のである

そして
われわれは
自らの
存在を
自覚
（対自化）し
宇宙と
生命の
存在を
自覚した
のである

だが
しかし
そのあとも
即ち
魚類
爬虫類
哺乳類
とつづいて
きた
われわれの

あとにも
〇〇類が
生じる
のだろうか
（進化論が
正しければ
そうなる
はずである）

その場合
それらは
いかにして
生まれ
いかにして
子を
育てる
のだろうか
（卵生でも
胎生でも
なければ
また
授乳でも
なければ）

そして
それらは
いかなる
器官で
考える
のだろうか
〈脳〉で
考える
のでなければ

もし
〈脳〉
ではなく
新たな
器官で
考える
のなら
それらに
この
地球や
宇宙は
どのように
映る
のだろうか

（シュレーディン
ガー
は
われわれの
〈脳〉が
この
地球上での
考える
最終的な
器官
とは
かぎらない
といっている）

チンパンジー

欧米の
研究者たちは
チンパンジーを
個体として
観察して
きたが
一九七〇年代
になり
日本の
研究者たち
によって
かれらは
行動を
ともにする
相手が
日替りでも
全員が
ひとつの
「コミュニティー」
に
属している
ことが
つきとめられた
といわれる

この
両者の
対象への
接し方
のちがいは
即ち
チンパンジー観
のちがいは
両者の
人間観の
ちがいを
表わしている

即ち
個体中心
と
全体と
個は
相互関係
という
考え方の
ちがい

だが
チンパンジーが
ヒトに
移行するとき

そこに
〈言語〉や
〈意識〉が
成立するのは
「コミュニティー」
を
考慮しなければ
理解できない
ことである

個体に
いきなり
〈言語〉や
〈意識〉は
成立しない
全体との
関係で
全体的に
成立する
のである

だが
欧米の
哲学界
脳科学界の
〈意識〉の
研究者は
相変らず
個体
（の脳）
中心である

発生

ヒト
という
存在は
（欧米哲学
がいう
ような）
まず
〈われ〉
があって
〈他者〉や
〈外界〉
がある
のではない
まず
〈われ〉
ではなく
まず
全体
（共同体）
があって
それから
〈われ〉
及び
〈他者〉
及び
〈外界〉
がある
のである

まず
全体
があって
というのは
まず
〈言語〉
があって
ということ
である
発生論的
には
〈言語〉の
発生
をまって
はじめて
われわれに
〈われ〉
及び
〈他者〉
及び
〈外界〉

が
対自的に
発生する
ことになる

即ち
〈意識〉が
発生する
ことになる
即ち
ヒトが
発生する
ことになる

ゆえに
〈欧米哲学
がいう
ように〉
〈われ〉は
いかにして
〈他者〉に
つながるか
ではない

発生論的
には
〈言語〉
〈意識〉
〈われ〉
〈他者〉
及び
〈外界〉
は
はじめから
一体のもの
であり
それらの
発生は
同時進行
である

人間が
〈言語〉を
つくり
〈言語〉が
ヒトを
つくる

即ち
〈われ〉
と
〈他者〉が
共通の
〈言語〉を
使っている
のではなく
共通の
〈言語〉の
発生
のなかに
〈われ〉と
〈他者〉が
発生する
のである

意識不明

意識不明
の
重体
と
いうときの
〈意識〉
の
不明
とは
どういう
ことか
いかなる

問いかけ
にも
反応が
ない
ということ
か
そうで
あれば
〈意識〉が
戻る
とは
どういう

ことか
問いかけに
何らかの
反応が
ある
ということ
か
それも
それが
〈言葉〉
によるもの

ということ
か
そして
その
〈言葉〉が
うわごと
のような
反射的な
もの
ではなく
その
背後に

固有の
人格が
蘇っている
ということ
か

そうで
あれば
〈意識〉の
回復
とは
〈自己〉の
回復
ということ
になる

〈意識〉が
回復して
〈自己〉が
回復し
その
〈自己〉に
〈記憶〉が
回復して
固有の
人格が
回復する

（これは
眠り
からの
目醒め
と同じ
現象
である）

ということは
やはり
〈意識〉とは
自らを
はじめ
すべての
ものを
対自化する
ヒトの
脳の
はたらき
ということ

になる

短期記憶
長期記憶

事故に
あう
頭を
強くうつ
事故
以前の
記憶あり
事故後の
記憶なし
現在でも
日常の
会話は
できる
だが
五分前の
記憶なし

この
事故の
場合
五分前の
記憶がない
としても
トイレには
いけるのか
食事は
できるのか

即ち
トイレの
場所
排セツの
仕方
食事の
場所
食事の
仕方
などの
記憶は
あるのか

もし
それも
〝忘れて〟
しまった
のなら
生活は
根底から

成り立た
なくなる

〝忘れて〟
いない
のなら
どうにか
日常生活
は
送れるかも
しれない
他者の
介助を
得て

さて

それが
可能で
あれば
即ち
身体の
機能
としての
記憶が
残って
いれば
事故後に
消えた
〈成立しな
かった〉
記憶は
いかなる

記憶
であるか

それは
身体の
機能
としての
記憶に
あとから
加わった
ヒト
としての
〈記憶〉
であろう

ヒトの

身体に
あとから
加わった
〈意識〉
によって
もたらさ
れた
〈記憶〉
であろう

即ち
〈意識〉
によって
対自化
された
〈自己〉

の
〈記憶〉
であろう

そして
事故後の
〈記憶〉が
ない
のは
事故
により
〈意識〉を
司る
部位に
支障を
きたした
から
であろう

即ち
〈意識〉
作用が
はたらかず
〈自己〉が
成立しない
ため
〈自己〉の
〈記憶〉が
成立しな
かった
のであろう

または
事故後
〈意識〉も
〈自己〉も
あったが
〈記憶〉を
司る
部位に
支障が
あり
〈記憶〉が
成立しな
かった
のであろう

そして
現在
〈意識〉も
〈自己〉も
回復して
いるが
五分前の
〈記憶〉が
ない
というのは
まだ
〈記憶〉を
司る
部位の
損傷が
完全に
回復して

いない　　　　　　いるのに
のであろう

即ち
短期的な
〈記憶〉が
長期的な
〈記憶〉に
うまく
つながらない
のであろう
事故
以前の
長期〈記憶〉
は
回復して

感性・悟性・理性

ヒトの
〈意識〉に
感性的
レベルと
悟性的
レベルと
理性的
レベルが
あるわけ
ではない

それは
〈意識〉の
レベル
ではなく
思考の
レベル
である

思考が
自らの
「構造」を
対象化し
分析し
差別化
したもの
である

そのため
には
〈意識〉
(のはたらき)
が
必要である

即ち
すべての
ものが
自らに
客体化
され
対自化
されて
いなければ
ならない

そうで
なければ

このような
思考が
思考を
思考する
という
高度に
概念的
(抽象的)
思考
など
不可能
である

〈意識〉は
そうした
思考を
可能にする
ための
すべての
ものを
自らに
対自化
する
ヒトの
脳の
はたらき
であり
それ
自身に
差別化が
あるわけ
ではない

堂々巡り

〈意識〉
について
語りながら
その
同じ文中に
「意識する」
とか
「意識的に」
とか
「意識の中」
とかを
無雑作に
連発する

哲学者
脳科学者

主語を
述語にも
使って
堂々巡り

〈意識〉像

脳科学の
現状を
みるに
意識とは
何か
が
わからない
まま
意識は
脳の
産物だから
というだけで
それを

脳のなかに
探し求めて
いるようで
ある

それは
犯人像が
わからない
まま
犯人が
この
ビルのなかに
いるという

情報だけで
ビルの中を
探し回って
いるような
ものである
それでは
犯人を
デッチ上げる
可能性が
大である

まず
犯人像を

しぼりこむ
こと
その
性別
年恰好
身長・体重
服装
など〳〵

即ち
〈意識〉とは
何かを
定義する

こと
そのうえで
それらと
脳の
諸機能との
関係を
さぐること

とはいえ
長い
哲学の歴史
のなかで
いまだ
それが
できないで
いるのだから

この
問題は
厄介
といえば
厄介
である

補遺

生命の なぜ

身の
まわりの
動物たちを
見ていると
いつも
何かを
食べている

食べて
いなければ
地べたに
ねそべって
休んでいる
そして
交尾

食べて
休んで
交尾して
（それらを
見ていると）
つく〴〵
これらは
何のために
生きている
のだろう
と思って
しまう

だが
この
地球上に
生命が
誕生して
以来
（単細胞の
時分から）
ずっと
そうだった
のである

食べて
休んで
分裂して
生命は
そのように
はじまり
ヒトも

その
延長上に
いるに
すぎない

なぜ
そんな
ものが
発生
したのか
それは
わからない

ただ
いえることは
それらの
長い
歴史に
比べれば
なぜ、
の
発生
など
つい
最近の
出来事
である

なぜ
それらは
発生
したのか
なぜ
今頃に
なって
なぜ、
が
発生
したのか

進化論と弁証法

ダーウィンの
進化論は
現在でも
科学の
はながた
であるが
どうも
もうひとつ
腑に
おちない
ところが
ある

それは
その
進化が
すべて
終っている
感がある
ことである
今も
進行中
ではなく
すでに

終っている
というのも
魚類
両生類
爬虫類
哺乳類
ときて
そのあとが
でてこない
のである

卵生
ではなく
胎生
として
子供を
成体で
出産し
母乳で
育てる

この
出産法

育児法
とは
別種の
方法
をもち
かつ
より
高度な
文明を
作りあげる
新種の
動物が
今後
この
地球上に
現われる
ことなど
考えられない
ことである

人類を
頂点とする
生物群を
その
頂点から
俯瞰して
逆に
たどった
逆進化論
にすぎない
話の
つじつま
合わせ
にすぎない
ように
思われる

ヘーゲルや
マルクス
などの
弁証法的な
分析も
過去に
対しては
有効だが
未来に
対しては
からっきし
効力がない

即ち
進化論も
弁証法も
過去に
対する
現在の
正当化の
方法？

唯物論

観念論の
時代が
終わり
唯物論の
時代に
なったが
その
唯物論も
マルクス
主義的
唯物論
と
プラグマ

ティズム的
唯物論
の
戦いとなり
マルクス
主義的
唯物論は
観念論的
体質を
色濃く
残していた
ため
敗北する

ことになった
即ち
両者の
共通点は
ものの
正否は
実践が
きめる
ということ
であるが
マルクス
主義では

その
実践
による
ものの
正否の
行方が
前もって
決定されて
いるのが
致命的
である
即ち
暴力革命

プロレタリア
独裁

観念論的
唯物論
唯物論的
観念論

カケラ

地球上の
物質は
すべて
星の
爆発の
カケラ
なのに
なぜ
そんなもの
から
眼
のような
構造物が
できたのか
脳
のような
構造物
ができたのか

カケラが
カケラを
見
カケラが
カケラを
考え
知る

カケラが
カケラを
使って
望遠鏡や
顕微鏡を
つくり
自らの
故郷を
眺め
自らの
組成物を
眺めて
ひとり
もの想いに
ふける

〈経験〉の概念

キリスト教
においても
イスラム教
においても
仏教
においても
真理は
教祖
及び
教典の
なかにあり
ひと〴〵も
そのなかに
あって
ひとつの
閉じた
世界を
形成して
いる

そこでは
真理は
過去に
あり
ひと〴〵は
その
閉じた
世界の
なかで
過去に
向かった
伝統と
習慣の
なかで
暮して
いる

ゆえに
中世までの
哲学や
科学や
論理学や
また
経験の
概念やが
その
影響を
うけるのは

当然である

その
伝統や
習慣を
こわすこと
になったのが
近代以降の
経験の
概念の
変化
である
と
プラグマティズム
はいう

理性や
精神は
過去を
保守する
もの
ではなく
また
経験の
真理を
阻害する
もの
ではなく
経験
こそが
真理を
つくるもの

だ
と

経験は
閉じた
世界から
開かれた
世界への
解放の
力
であり
過去から
未来へ
進歩する
努力の
源泉

である
と

観念論
としての
マルクス主義

この
世界は
絶対者
（神）の
自己実現の
過程として
存在する

それゆえ
個々の
個人の
経験的な
事柄の
真理は
この
絶対者が
保証する

この
ヘーゲルの
観念論を
マルクスも
うけつぎ
この
世界は
党による
労働者階級
の
解放の
実現過程
として
個々の
個人の
経験的な
事柄の
真理は
党が
保証する
とした

目的因の学説

ヘーゲルや
マルクスの
哲学は
（デューウィの
ことばを
かりれば）
目的因の
学説
である

即ち
自然の
諸過程は
固定された
目的に
しばられ
その
目的実現
に向う
という
学説

情と知

哲学者の
哲学は
自らの
情、の
知的展開

ヘーゲルは
〈神の
自己実現の
弁証法〉
マルクスは
〈存在が
意識を
規定する〉
ニーチェは
〈力への意志〉
フッサールは
〈現象学〉
ハイデッガーは
〈存在〉
サルトルは
〈実存〉

自らの
情、の
知的展開

天才
――情と知

まず
天才が
情的
（直視的）に
全体像を
指し示し
そのあとで
秀才が
知的に
証拠がため
をする

だが
〈意識〉の
科学では
天才の
直観的な
全体像が
ないまま
秀才が
知的に
証拠がため
をしよう
としている

それで
研究者
たちが
やっている
ことが
バラ〳〵の
印象を
与える
のである

気づく

何かに
気づく
ことと
〈意識〉
そのもの
とは
別物
である

それは
意志や
意図や
注意や
「志向性」
などが
そうである
のと
同じである

この
（気づく
という）
事象は
〈意識〉が
ない
（と思われる）
動物にも
起こること
である

かれらにも
記憶は
ある
のだから
（経験を
もとに
生きている
のだから）
それとの
関係で
何かに
気づく
ことは
あるだろう

ただ
それが
即自の
まま
なだけ
である

それを
対自化
したのが
ヒトの
脳の
〈意識〉
という
はたらき
である

即自の
ままの
気づき
と
対自化
された
気づき

だが
ヒトの
気づき
でも
即自の
ままで
終ることも
あれば
それが
対自化
されること
もある

その
対自化
された
気づき
と
〈意識〉
とを
結びつけ
たくなる
のは
それが
他の
事象の
対自化
に比べて
比較的
〈自己〉感覚
を
鮮明にする
からだろう

即ち
ヒトの
気づき
は
気づき
の
〈自己〉化
即ち
〈自己〉に
気づく
ことであり
〈自己〉の

気づき
でもある
からであろう

ゆえに
気づき
とは
〈意識〉
そのもの
ではなく
即自的な
気づき
に
〈意識〉が
はたらいて
それが

〈自己〉
とも〴〵
対自化
された
ものである

発見
――デカルト

デカルトは
すべてを
疑った
すえ
疑っている
自己の
存在だけは
疑えない
として
〈自己〉を
発見した
といわれる

だが
動物に
だって
自己は
ある
のであって
それが
自らに
発見
されてない
だけ

である
問題は
自己が
ある
ことでは
なく
それが
自らに
発見
されること
即ち

自らに
対自化
されること
である
そして
それを
可能に
したのが
ヒトの
〈意識〉
である

ゆえに
発見
されるべき
は
この
自らを
はじめ
すべての
ものを
自らに
対自化する
ヒトの
脳の
〈意識〉
という

はたらき
である

付け加わる

マルクスは
「意識とは
意識された
存在以外の
何ものでも
ない」
といい
フッサールは
「意識とは
何ものかに
ついての
意識である」
という

だが
これでは
ただの
同語反復
論点先取り
にすぎず
〈意識〉
について
何かを
語ったこと
にはならない

「意識された
存在」
とか
「何ものかに
ついての
意識」
といっても
その
「存在」や
「何もの」かに
〈意識〉が
付け加わった
のであるから

その
付け加わった
〈意識〉とは
何かが
問われなければ
ならない

一般に
ヒト以外の
動物には
〈意識〉が
付け加わら
ない

のである
即ち
感覚のまま
即自のまま
なのである

その
動物の
即自を
自らに
対自化した
ヒトの
〈意識〉
という
はたらきは
いかにして
ヒトに
成立したのか

〈意識〉は
すべての
もの（存在）
とは
切り離して
それ
自体で
アプリオリな
存在として
解明され
なければ
ならない

ベルグソン㈠

ベルグソンに
おいては
生命と
意識は
ある意味で
同義
である

生命は
物質が
作った
のだから
意識も
物質が
作った
ことになる

その
意識を
作った
物質が
高等動物
では
脳として
結晶した
それゆえ
その
結晶した
物質が
下等動物
にも
分散している
ことになる

即ち
いかなる
下等動物
にも
何らかの
意識が
ある
ことになる

現に
ベルグソン
は
アメーバ
にも
漠然とした
意識は
ある

といっている
感覚と
意識の
混同

ベルグソン(二)

ベルグソンは
意識は
過去の
記憶
であり
未来の
予測
であり
現在の
選択
である
という

だが
そうは
いっても
これら
すべては
多かれ
少なかれ
意識の
ない
動物にも
存在する
ものである

即ち
意識が
なくとも
(感覚のみ
でも)
それらは
成立する
のである
(現に
大方の
動物は
これら
のみで
生きている)
〈意識〉
とは
これらの
感覚が
(自らを)
再感覚する
即ち
即自が
対自となる
ヒトの
脳の

はたらき
である

この
はたらき
が
ヒトの
脳に
いかにして
成立したか
その
起源を
どこに
求めるべきか
そして
そもそも

〈意識〉
とは
何か

それが
哲学の
最大の
課題である
〈意識〉
なしには
いかなる
哲学も
存在しない
からである

ベルグソン㈢

ベルグソンの
『時間と
自由』は
原題を
『意識に
与えられた
ものの
試論』
という

だが
そこには
「与えられた
もの」
ばかりが
語られて
肝心の
意識
そのものは
問題に
されず
はじめから
感覚
(の変化)を
統覚する
はたらき
として
扱われている

だが
意識は
意識
であり
統覚は
統覚
である
意識のない
動物にも
感覚の
統覚は
ある
のだから

マルティン・ブーバー

原初的には
われ
と
なんじ
のみの
関係
であった
なんじ
が
（ここでいう
なんじ
とは
ひと
または
もの
である）
ときと
ともに
それ
にかわる
過程で
即ち
一人称——
二人称の
関係
にあった
二人称が
三人称に
かわる
過程で
自己意識
が成立した
と
ブーバーは
いう

われ
に対する
なんじ
は
次々に
かわるが
われ
は
同一のもの
である

ゆえに

そこから
われ
が分離した
と
即ち
われ
が
目醒め
われ
が
意識された
と

これも
また
欧米的な
われ
からはじまる
考え方
である

相手が
次々に
かわる
ことで
われ
が
目醒める
のなら
動物
だって
目醒める
はずである

その
動物的な
即ち
即自的な
われ
が
目醒める
即ち
対自化
される
ために
（ヒト
における）
〈言語〉
を介しての
共同的な
〈意識〉
の成立を
またねば
なるまい

エーデルマン
（『脳は空より
広いか』）

脳機能の
格段の
識別能力の
向上が
ヒトの
脳に
意識を
もたらした
というが
それだけで
脳神経

という
物質から
意識
という
非物質への
「現象変換」
を
説明する
のは
無理であろう

「変換」
には
脳（神経）
機能の
格段の
進化
という
縦軸要因
のみならず
その
脳の

他者
（の脳）との
交通
という
横軸要因
も
忘れては
ならない
即ち
ヒトの

脳の
〈言語〉
による
共同的な
ものの
客体化
その
結果
としての
もの
及び
自己
及び
他者の
（自らへの）
対自化

それが
〈意識〉
（の起源）
である

そもく
ヒトの
脳の
識別能力
向上も
この
脳（機能）の
共同性に
即ち
横軸要因に
負うところが

大きい
のである

W・ジェイムズ
（『純粋経験の哲学』）

W・ジェイムズが
いうように
われわれの
「運動」は
はじめは
ただ
そこに
ある
だけであり
そのあとで
それが
このものや
あのものに
帰せられる
ことになる

さて
かれが
ここでいう
はじめの
もの
即ち
ただ
ある
だけのもの
が
意識のない
動物の
常態である

（この
即自性を
対自化する
のが
ヒトの
脳の
〈意識〉
という
はたらき
である）

だが
W・ジェイムズは
この

はじめの
「純粋経験」
が
つぎの
「純粋経験」
に
出会って
〈意識〉が
生まれる
という

そのような
「出会い」は
意識のない
動物でも
常態なのに

ジョン・デューウィ (一)

大正八年
(新渡戸稲造
の招聘で)
ジョン・デューウィ
が
東京帝国大学
において
注目すべき
講演を
行っているのに
日本の
哲学界は
それには
全く感応せず
その後も
相変らず
カントや
ヘーゲル
それに
マルクス
などに
うつつを
ぬかし
つづけた

哲学の
諸問題は
二十世紀の
初頭
プラグマティズム
の出現
によって
大方
カタがついて
いる

それなのに
日本の
哲学界は
それから
百年
延々と
ドイツ哲学
のなかに
閉じこもって
きた

そして
現在
本当に
カタが
ついて

しまった
デューウィ
曰ク
「思想家」という階級
――社会を
見下す
無責任な
階級

ヘーゲル

ヘーゲルの
〈意識〉は
「精神」
という
ロケットを
打ち上げる
ための
ただの
燃料
にすぎない

それが
いったん
打ち上げ
られて
しまえば
あとは
「絶対精神
（神）」
へ向って
まっしぐら
である

因に
その
燃料は
三段式に
なっていて
〈意識〉
〈自己意識〉
〈理性〉
であり
それから
本体の
「精神」の
発射
である

かれにとって
その
目的の
「絶対精神
（神）」へ
向うには
その
とっかかり
として
どうしても
〈意識〉が
必要であった
ようである

であるならば
その
〈意識〉を
無定義の
まま
また
独断的な
用法
によって
使用する
のではなく
もっと
その
定義を
明確に
すべきで

ある

それを
アイマイに
したままで
先へ進む
のは
また
進めることが
できるのは
それが
受け手
（読者）
にとっても
アイマイな
まま

であるから
である

ショーペンハウアー

ショーペン
ハウアーは
意識は
感性・悟性
・理性
よりなり
感性と
悟性
のある
動物にも
意識は
ある
という

ただ
理性は
人間
にしかなく
その
理性から
言語が
生じる
という
また
世界は
徹頭徹尾
表象であり
徹頭徹尾
意志である
という

そこまでは
いいのだが
その
意志が
有機から
無機へ
向かい
宇宙へと
広がって
いく

そして
それが
ヘーゲルの
〈神〉へと
（ハイデーの

〈存在〉にも
にている）
向うと
思いきや
プラトンの
〈イデア〉の
登場
である

どちらに
しても
ガッカリ
である
すぐれた
唯物論批判
をしながら

自らは
カンネンロン
へと
邁進する

（どうも
ヨーロッパの
ひとたちは
宇宙の根本
ものごとの
根本を
欲しがる
ようである
それが
現在では
〈ビッグバン〉

？）

マルクス

「存在が
意識を
規定する」
と
マルクスは
いう

であるから
ブルジョアは
ブルジョアの
〈意識〉を
もち
労働者は
労働者の
〈意識〉を
もつ
ことになる

であれば
その
両者の
〈存在〉と
〈意識〉を
俯瞰する
マルクスの
〈意識〉は
いかなる
〈存在〉に
規定されて
いるのか

というより
マルクスの
〈意識〉
だけが
なぜ
〈存在〉から
自由
なのか

しかし
実際は
マルクス
だけでは
なく
すべての
ひとの
〈意識〉が
〈存在〉から
自由
なのである

そうで
なければ
すべての
〈存在〉と
〈意識〉を
俯瞰する
かれの
命題
そのものが
生まれな
かったはず
である

即ち
かれは
自らで
自らの
命題を
否定して
いる
のである

だが
マルクス主義
の
すべてが
この
かれの
（哲学的）
命題の上に
成り立って
いるのである
政治も
経済も
歴史も

それで
この
命題が
崩れれば
すべてが
崩れること
になる
それは
多くの
マルクス
主義者も
例外では
ない
親亀
こけたら
子亀も
――
である

（大学者の
まわりには
いつも
小学者が
集まって
いる
そして
大学者が
こければ

小学者も
——
である）

〈意識〉は
何ものにも
規定される
ことはない
それは
すべての
ものを
自らに
対自化する
ヒトの
脳の
はたらき

だから
である

ハイデッガーの
〈存在論〉
（『存在と時間』）

ハイデッガーの
〈存在論〉の
問題点は
その
大著の
冒頭の
命題に
すべてが
凝縮されて
いる

即ち
「われわれが
存在の意味を
問うのは
われわれが
〈存在〉の側から
受けとった
指向性を
そなえている
からである」
という

これである
即ち
われわれは
はじめから
〈存在〉と
共にある
という
宣言である

そして

その
〈存在〉の
背後には
〈神〉が
すけて見える
のである
即ち
われわれは
はじめから
〈神〉と
共にある

という
宣言である
（まさに
ヘーゲルの
焼き直し
である）

だが
われわれは
一般に
ものが
〈ある〉と
感じるとき
この
〈ある〉とは
何か
また
そう
問うとき
〈問う〉とは
どういうことか
とは
問うても
「存在の意味」
などを
問うたりは
しない

この
「存在の意味」を
問うという
問い方には
はじめから
〈われわれの
存在の意味〉
と
〈神〉を
つなげよう
とする魂胆が
潜んでいる

また
かれによると
人間の
他の存在者
（ものや
動植物など）
に対する
優位性は
人間が
自らを
はじめ
他の存在者
についてもの
存在了解を
そなえている
から
とのことである

そして
それを
可能にする
のは
人間（現存在）が

おのれの存在
において
その存在に
関わらされて
いるから
とのことである

だが
人間が
他の存在者を
了解する
のは
〈存在了解〉
などによって
ではなく
〈意識〉
という
自らを
はじめ
すべてのものを
自らに
対自化する
われわれの
脳の
はたらき
によって
なのである

サルトルの〈意識〉（『存在と無』）

サルトルは
〈意識〉を
「存在の
呼び求め」
として
それを
「存在の
ふところ」
における
「即自」と
「対自」の

関係として
とらえよう
とする
即ち
「即自の
無化としての
対自」

だが
その
「即自」は

個々の
「もの（存在）」
であり
それを
「無化」
するのも
また
「存在」
であり
その
結果

生じるのが
「対自（意識）」
である

そして
それら
すべてが
「存在の
ふところ」
においての
出来事

なのである
ヒトの
〈意識〉が
このようにして
成立する？

これは
まさに
「存在論」の
妄想
というほかは
ない

思うに
サルトルは
自らが
「生は
自己自身の
意味を
決定する」
や
「生は
本質的に
自己批判の
能力
自己変身の
能力
をもっており
――」
や
「生は
自己が
それである
ところ
のものの
変化として
存在する」
などという
ところから
出発すべき
である

即ち
〈生〉
〈ある〉
〈意味〉
である
そこから
〈言語〉へ
進めば
「即自の
無化としての
対自（意識）」
とか
「意識は
事物を
そこに
存在させよう
とするところの
無である」
とか
「存在は
無時間であり
時間は

存在しない
その
存在と
時間が
人間において
合体し
存在が
時間化される
などという
〈形而上学〉
など
必要ない
のである

ハイデッガー・サルトル

かれらは
〈ある〉の
根源を
生きとし
生けるもの
の
基底をなす
〈ある〉
にではなく
〈存在〉
として
〈宇宙〉

〈世界〉
〈生〉
などの
存在者の
根拠として
とらえる

あらゆる
存在者の
根拠
としての
〈存在〉

だが
これとて
前述の
〈ある（意味）〉が
〈言語〉化され
〈意識〉を
成立させた
のちの
いいぐさに
すぎない

〈存在〉の
起源は
前述の
〈ある〉
以上には
遡行され
えない

なぜなら
すべては
それによって
即ち

〈ある〉
によって
〈言語〉
によって
〈意識〉
によって
遡行される
からである

どうも
存在者の
根拠としての
〈存在〉
などとして
語られる
この
超越的な
〈存在〉には
〈神〉の
においがして
ならない

やはり
ヨーロッパ
哲学の
根底には
〈神学〉が
ある

マッハ再考

ヘーゲルと
マルクスの
あいだに
ダーウィンが
おり
マルクスは
まだ
完全に
ダーウィンを
ものにして
おらず
ヘーゲルに
かたむいて
いる

また
時代的な
物理学的
世界観に
とらわれて
いる
ゆえに
「意識とは
意識された
存在以外の
何ものでも
ない」
となるので
ある

だが
マッハは
マルクスより
二十年遅く
生誕して
おり
ダーウィンを
完全に
マスターして
いる

それゆえ
〈存在〉
などには
とらわれず
〈生体〉から
出発する

マッハは
一級の
物理学者
でありながら

優秀な
哲学者
でもある
その
平明な
文章と
論の
周到さに
それが
現われている

(アイン
シュタインも
マッハの
哲学を
認めており
相対性理論
も
そこから
ヒントを
得た
と認めている
ようである)

だが
不幸にも
レーニンの
マッハ批判
と
かれの
「革命」の
成功で
マッハ哲学が
政治的に
ほうむられた
のは
哲学に
とって
悲劇である

それにしても
フッサールや
ハイデッガーや
サルトルや
また
ウィトゲン
シュタイン
などは
マッハより
後に
生誕して
いながら
なぜ
マッハ哲学を
参考に
しなかった
のだろうか
(フッサールの
「現象学」は
マッハの
影響がある
といわれて
いるが)

マッハが
あれほど
物理学的
生物学的に
平明に
考察して
いるのに
それを
いたずらに
難しく
考えて
それで
何か
成果があった
のだろうか
とても

そうは
思えない
のであるが

だが
マッハも
生物学的
（生理学的）
唯物論
どまり
である
そこでは
意識＝意志
＝注意
となる
ゆえに

百足《むかで》にも
意識がある
ことになる

パース（『連続の哲学』）

パースは
「諸科学を
分類」して
その
系列の
先頭に
数学を
おく

数学が
他の科学
に比べ
経験と
かかわりが
ないから
と

そして
次に
哲学を
おく

哲学は
論理学
と
形而上学
からなり
論理学は
思考の
科学
であり
形而上学は
存在の
科学
である
と

そして
形而上学は
論理学
によって
導かれ
論理学は
数学
によって
導かれる
と

即ち
系列的には
数学が
あり
思考の
科学が
あり
存在の
科学が
ある

即ち
存在は
数
よりなる
ということ
になる

数学者の
妄想？

だが
同じ
プラグマティズム
でも
デューウィは
数学の
起源は
経験にある
という

数学は
ものを
数え
測ること
から
はじまった
と

ジョン・デューウィ㈡
（『哲学の改造』）

デューウィの
いう
道徳的欠陥
とは
何らかの
徳目を
守らないこと
ではなく
つまるところ
心の
もち方
である

即ち
気質の
弱さ
共感の欠如
一方的な
偏見
など〱

即ち
道徳的である
ということは
豊かな

共感力
鋭い感受性
不快な状況
における
不屈な態度
そして
知的な
バランス

だが
これらは
道徳

のみならず
他の
いかなるもの
に対しても
共通する
必要な
態度である

ホワイトヘッド

マルクスは
存在が
意識を
規定する
というが
ホワイトヘッド
は
意識が
存在を
規定する
という

即ち

ホワイトヘッド
によれば
マルクスに
斬新な
理論が
ひらめくと
現実が
そのような
様相を
呈してくる
ことになる

ウィトゲン
シュタイン
（『論理哲学
論考』）

ウィトゲン
シュタインは
言語を
数学の原理
のように
厳密に
（論理空間
のうちに）
原理化
すれば
世界を
完全に
記述できる
という

だが
実際に
記述された
その
個々の
原理
についての
人々の
評価は
区々《まちまち》である

ウィトゲン
シュタイン
自身は
フレーゲや
ホワイト
ヘッドや
ラッセルの
それを
批判し
ラッセル
その他は
ウィトゲン
シュタインを
批判する

だが
しかし
もしかすると
言語
による
究極の
世界の
記述は
ホーキングの
いう
いまだ
存在しない
〈統一理論〉
かもしれない

とは
いっても
その
〈統一理論〉
（ひと組の
規則と
方程式）
が
できた
としても
それが
なぜ
宇宙として
存在する
ことに
なったのか

なぜ
存在しない
方を
選ばなかった
のかは
わからない
と
ホーキングは
いっている

（因に
ホーキングは
哲学は
もはや
科学理論の
進歩に

ついて
いけず
ウィトゲンシュタイン
のように
哲学は
言語の批判
である
というまでに
凋落している
といっている）

だが
以上のような
見解は
即ち

それらの
言語や
世界や
宇宙についての
考えは
所詮
ひとつの
（個人的な）
思想であり
そうした
相対的な
個々の
見解
よりも
はるかに
重要なのは

それらを
ヒトに
もたらす
〈意識〉の
存在
である

〈意識〉とは
何か
〈意識〉は
いかにして
ヒトに
成立したか

学会

（スーザン・ブラックモア
『「意識」を
語る』）

二年に
一度
アメリカ
アリゾナ州
ツーソンで
〈意識〉
についての
学会が
開かれている
とのこと

そして
その
学会の
名称は
「意識の
科学
に向けて」
だそうで
ある

だが

「意識を
科学する」
のであれば
まず
その
「科学する」
対象である
〈意識〉を
定義
しなければ
ならない

〈意識〉とは
何か
何を
もって
〈意識〉
というか
を
まず
明らかに
しなければ

ならない

だが
ここでも
それが
ない
〈意識〉を
ただ
漫然と
脳の
なかに
あるもの
としている
だけである

もの

ではない
ことは
わかっている
のに
もの
として
あつかおう
としている

そして
その
ありかを
さがし
あてよう
としている
ありか

そのものが
〈意識〉
ではない
のに

それとも
ありかが
わかれば
〈意識〉とは
なにか
も
わかる
と思っている
のだろうか

まず

〈意識〉を
定義する
こと
そうすれば
脳の
なかを
いくら
さがし
回っても
〈意識〉
には
出会えない
ことが
わかるはず
である

無頓着

哲学は
〈意識〉
によって
成立している
のに
また
直接的
間接的に
それが
主題に
なっている
のに
世の
哲学者
たちは
その
主語（主題）を
あまりにも
無雑作に
述語として
使用している

その
無頓着さ
が
逆に
その
主題に
対する
かれらの
混迷ぶりを
現わしている
ように
思われる

そこで
その
例を
かれらの
著作から
いくつか
アトランダム
にひろって
示し
この
論稿の
結び
としたい
と思う

マッハ
（『感覚の分析』）

○意識的に
参与する
○意識が
完全に
めざめる
○意識に
備わっている
○意識の内容
○意識に
もたらされる
○意識の限界
○意識的な
解釈

フッサール
（『デカルト的省察』）

○意識する
○意識のうち
○意識の領域
○流れる意識
○何かについての
意識
○意識体験を
私たちが
志向性を
と
呼ぶ時
○意識の
それぞれの
特殊な作用

○意識が
どれほど
変化しようとも
○統一的な意識
○内的時間意識

サルトル
（『存在と無』）

○意識の外
○意識の核心
○不幸な意識
○意識を
戦慄させる
○意識の過去
○世界の
ただなかに
堕落している
意識
○措定的な意識
○非措定的な
意識
○持続する意識

ショーペン
ハウアー
（『意志と表象とし
ての世界』）

○意識する
○意識を
いっぱいに
満たす
○意識を動かす
○意識にのぼる

○意識を高める
○意識のなか
○意識だけを
あとにのこして
○意識につきそ
われながら
○意識にうかび
あがってくる
○意識の二重性
○意識にしみ透る
ヘーゲル
（『精神現象学』）
○意識する
○意識と神の
和解

○混沌たる意識
○非学問的な
意識
○自然のままの
意識
○日常の不完全な
意識
○意識の総体
○意識の内容
○ものを
とらえ
そこなった
意識
○意識の転換
○意識の運動
○知覚する意識

○意識が
創作する
夢と幻影
○独立自存の
意識
○奴隷の意識

参考文献

デカルト「方法序説」（谷川多佳子訳　岩波文庫　二〇〇六年）
ヘーゲル「精神現象学」（長谷川宏訳　作品社　二〇〇七年）
ショーペンハウアー「意志と表象としての世界」（西尾幹二訳　中央公論新社　二〇一五年）
マルクス「ドイツ・イデオロギー」（廣松渉訳　岩波文庫　二〇〇五年）
エンゲルス「反デューリング論」（秋間実訳　新日本出版社　二〇〇七年）
E・マッハ「感覚の分析」（廣松渉他訳　法政大学出版局　一九八一年）
パース「連続性の哲学」（伊藤邦武編訳　岩波文庫　二〇〇九年）
W・ジェイムズ「純粋経験の哲学」（伊藤邦武編訳　岩波文庫　二〇〇九年）
ソシュール「言語学序説」（山内貴美夫訳　勁草書房　一九七七年）
フッサール「デカルト的省察」（浜渦辰二訳　岩波文庫　二〇〇一年）
ベルグソン「時間と自由」（中村文郎訳　岩波文庫　二〇〇六年）
デューウィ「哲学の改造」（清水幾太郎他訳　岩波文庫　二〇〇九年）
カッシラー「人間」（宮城音彌訳　岩波現代叢書　一九七四年）
ブーバー「我と汝・対話」（植田重雄訳　岩波文庫　二〇〇八年）
ウィトゲンシュタイン「論理哲学論」（山元一郎訳　中央公論社『世界の名著七〇』昭和五十五年）
ハイデッガー「存在と時間」（細谷貞雄他訳　理想社　昭和四十一年）
サルトル「存在と無」（松浪信三郎訳　人文書院　昭和四十三年）
ダーウィン「種の起源」（八杉龍一訳　岩波文庫　二〇〇一年）
S・ワインバーグ「宇宙創成はじめの三分間」（小尾信彌訳　ダイヤモンド社　昭和五十六年）
ホーキング「ホーキング宇宙を語る」（林一訳　早川書房　一九九九年）

J・D・ワトソン、A・ベリー「DNA―すべてはここから始まった」（青木薫訳　講談社　二〇〇三年）

R・フォーティ「生命四十億年全史」（渡辺政隆訳　草思社　二〇〇三年）

S・C・モリス「カンブリア紀の怪物たち」（松井孝典監訳　講談社現代新書　二〇〇〇年）

J・W・ショップ「失われた化石記録」（阿部勝巳訳　講談社現代新書　一九九八年）

J・クラック「手足を持った魚たち」（池田比佐子訳　講談社現代新書　二〇〇〇年）

松井孝典「地球　誕生と進化の謎」（講談社現代新書　一九九九年）

丸山茂徳・磯崎行雄「生命と地球の歴史」（岩波新書　一九九九年）

D・R・グリフィン「動物に心があるか」（桑原万寿太郎訳　岩波現代選書　一九八一年）

D・デントン「動物の意識　人間の意識」（大野忠雄他訳　紀伊國屋書店　一九九八年）

N・ハンフリー「内なる目」（垂水雄二訳　紀伊國屋書店　一九九四年）

V・S・ラマチャンドラン「脳のなかの幽霊、ふたたび」（山下篤子訳　角川書店　二〇〇五年）

J・C・エックルス　D・N・ロビンソン「心は脳を超える」（大村裕他訳　紀伊國屋書店　一九九〇年）

J・M・エーデルマン「脳は空より広いか」（冬樹純子訳　草思社　二〇〇六年）

M・S・ガザニガ「〈わたし〉はどこにあるのか」（藤井留美訳　紀伊國屋書店　二〇一四年）

A・ロック「脳は眠らない」（伊藤和子訳　ランダムハウス講談社　二〇〇九年）

M・S・ブランバーグ「本能はどこまで本能か」（塩原通緒訳　早川書房　二〇〇九年）

F・D・ヴァール「あなたのなかのサル」（藤井留美訳　早川書房　二〇〇六年）

W・R・クラーク「生命はどのようにして死を獲得したか」（小浪悠紀子訳　共立出版　二〇〇三年）

柳澤桂子「われわれはなぜ死ぬのか」（草思社　二〇〇〇年）

S・ブラックモア「『意識』を語る」（山形浩生他訳　NTT出版　二〇〇九年）

S・ブラックモア「意識」（信原幸弘他訳　岩波書店　二〇一〇年）

その他

鈴木稜紀

昭和18年生
京都府立大学卒

〈意識《いしき》〉とは、何《なに》か——無《む》ではなく、何《なに》かがあるのはなぜか

発行日　2021年5月2日　第1刷発行

著　者　鈴木稜紀（すずき・りょうき）

発行者　田辺修三
発行所　東洋出版株式会社
〒112-0014　東京都文京区関口1-23-6
電話　03-5261-1004（代）
振替　00110-2-175030
http://www.toyo-shuppan.com/

印刷・製本　日本ハイコム株式会社

ISBN 978-4-8096-8618-4
定価はカバーに表示してあります